HANGJIA
DAINIXUAN

行家带你选

青花瓷

姚江波 ／ 著

中国林业出版社

图书在版编目 (CIP) 数据

青花瓷／姚江波著 . – 北京：中国林业出版社，2019.1
（行家带你选）
ISBN 978–7–5038–9881–5

Ⅰ. ①青… Ⅱ. ①姚… Ⅲ. ①青花瓷（考古）–鉴定–中国
Ⅳ. ① K876.34

中国版本图书馆 CIP 数据核字 (2018) 第 279266 号

策划编辑　徐小英
责任编辑　曹　慧　徐小英
美术编辑　赵　芳　曹　慧

出　　　版　中国林业出版社(100009 北京西城区刘海胡同7号)
　　　　　　http://lycb.forestry.gov.cn
　　　　　　E-mail:forestbook@163.com 电话：(010)83143515
发　　　行　中国林业出版社
设计制作　北京捷艺轩彩印制版技术有限公司
印　　　刷　北京中科印刷有限公司
版　　　次　2019 年 1 月第 1 版
印　　　次　2019 年 1 月第 1 次
开　　　本　185mm×245mm
字　　　数　203 千字（插图约 390 幅）
印　　　张　12
定　　　价　75.00 元

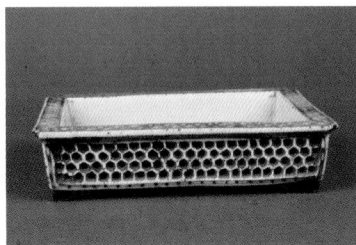

青花水池·清代

发色浓艳青花瓷执壶（三维复原色彩图）·元代

青花茶盏·清代

青花瓷盘·清代

◎ 前 言

青花瓷是先用钴料在胎上绘画，然后上透明釉，再在1300℃左右的高温下一次烧成，呈现出蓝色图案。青花瓷早在唐代就已经出现，不过从青料发色不是很纯正，显然还未烧制成熟；宋代也有见青花瓷的生产，但成熟意义上的青花瓷的产生依然是遥遥无期，直至元代至正时期青花瓷经过长时间的酝酿之后终于由江西景德镇窑烧制成功，胎体洁白、细腻、纹饰精美、色泽淡雅，精美绝伦，器物造型明显增多，在青料上使用低锰高铁的进口料，发色浓艳，美不胜收。明代青花瓷的烧制日臻成熟，青花瓷逐渐由外销转向内销，并迅速成为瓷业市场上的主流，将传统的青瓷、白瓷、黑瓷等瓷器排挤出了主流瓷器市场，此时的青花瓷为了迎合国内需求，适合中国人的审美习惯，在器形上开始变小，胎壁变薄，加之明政府在景德镇设立了官窑，官民窑在技术上的互换使得青花瓷的烧造技术得以迅速提高，烧造出了许多造型隽永、精美绝伦的青花瓷，与元代相比有秀、巧、轻、薄之感；在青料的使用上官窑多使用进口的"苏泥麻青"，发色浓艳，浓淡层次分明，青料下凹深入胎骨，釉质滋润，色泽深沉，使人犹如幻境；特别是永宣时期青花瓷在烧造技术上达到了顶峰，精品力作不断涌现。至清代青花瓷在明代制瓷业的基础上继续发展，景德镇继续成为中国的瓷业中心，代表着中国古瓷器的最高烧制水平，引领着中国古代青花瓷的发展潮流，致康、雍、乾时期清代的制瓷业发

青花六棱瓶·清代

青花木盒·清代

展已至顶峰；在纹饰上清代青花瓷进一步发展，将中国古代绘画艺术引入到瓷器之上，一时间，青花瓷留给人们的是无尽的诗情画意，美不胜收；然而青花瓷在清代也并非一帆风顺，由于清代采取了"闭关锁国"的政策，从国外进口的青料基本断绝，无论官民窑均使用国产料，因此清代青花瓷普遍没有明代青花瓷发色艳丽，乾隆以后几乎不见精品，之后在再也没有辉煌过。

　　青花瓷以其国有的优点赢得了人们的青睐，至明清时期成为人们日常生活当中最主要的日用品，由于官窑的存在以及官窑民窑在技术上的互相借鉴，青花瓷精品力作不断涌现，犹如星河灿烂，历代都是收藏市场上的宠儿，现在青花瓷身价数亿已不是什么新鲜事；遗憾的是，在暴利的驱使下，青花瓷伪器繁多，一时间真伪难辨，青花瓷的收藏变得复杂化了。而本书秉承文物鉴定的原则，直述鉴定要点，详细分析青料、纹饰、尺寸、完残、窑口、原料、淘洗、粗细程度、杂质、胎色等鉴定要点，以帮助读者最终实现诸多鉴定要点相互验证的目的，强调实战性、指导性、工具性、学术性，力求做到使藏友读后由外行变成内行。本书在编写过程中专门创作了三维复原色彩图及复原图，其目的是为了帮助读者拓展知识面，在现有技术条件下可以使许多看不到的鉴定要点呈现出来，通过对青花瓷标本色彩取样、三维扫描等手段，使其在三维环境下生成三维复原色彩图，三维技术可以将青花瓷上的任何一点放大到无限清晰的程度，这样有助于我们观察色彩，而此时造型所起到的只是任意附着物的作用，所以，不必看造型；三维复原图则是针对造型与色彩的双重复原，既要看色彩、同时也看造型；这将有助于我们进行研究和鉴定工作，相信一定会对读者有所帮助。另外，对于研究需要使用到的青花瓷高仿品，本书在的图片后面一一注明，这样可以帮助读者识别当今市场上出现的绝大多数高仿品，以了解青花瓷高端市场，同时增强真伪辨别的能力。以上是本书所要坚持的，但一种信念再强烈，也不免会有缺陷，希望不妥之处，大家给予无私的批评和帮助。

姚江波

2018 年 12 月

◎ 目 录

缠枝花卉青花瓷盘·清代

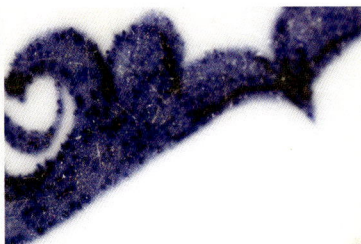

典型至"正型"青花瓷器标本·元代

嘉庆喜字花卉纹青花瓷盖·清代

青花瓷碗·明代

青花瓷缠枝花卉纹图·清代

青花瓷盘·清代

青花瓷瓶·清代

第一章 综述

第一节 数 量

青花瓷是中国古代最主要的日用瓷，墓葬、遗址、传世品中都有见（图 1-1）。

从件数特征上看，墓葬出土多以 1 ～ 2 件为主，偶有见数件以上的情况；遗址出土以窑址和城址内为主，数量众多，有的以千件计，规模很大，但多以残瓷为主；传世的青花瓷在数量上规模也比较大，特别是清代后期、民国时期的青花瓷主要是以传世品为主。由此可见，青花瓷在总量上规模巨大。

图 1-1 青花观音佛像·清代

从窑口上看，中国青花瓷的烧造以景德镇窑系为主（图1-2）。

从时代上看，唐、宋、元明清、民国等时期都有见，其中唐代、宋代、元代青花瓷器在数量上稀少，可以说是罕见；明、清、民国时期规模庞大。鉴定时应注意分辨。

图1-2 青花六棱瓶·清代

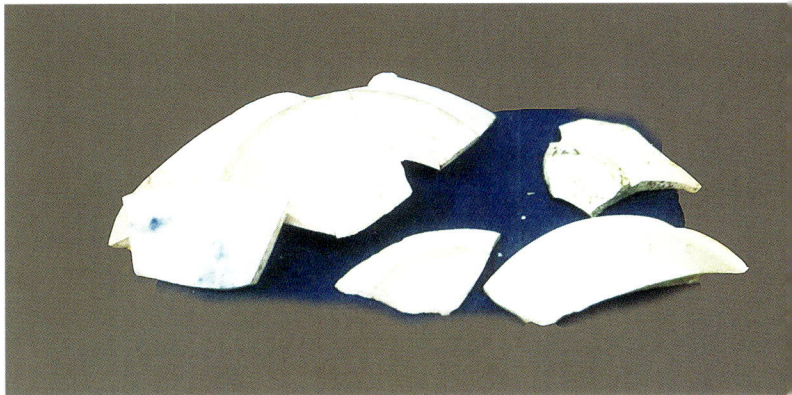

图 1-3　青花瓷标本·唐

第二节　时代特征

一、唐青花

青花瓷最早出现在唐代，在扬州等地曾发现唐代青花瓷标本（图1-3）。但唐代的青花瓷略显黄色，青花的色调不是很稳定。釉质以稀薄为主，其目的显然是为了更好的通透性，以避免阻挡人们观赏青花纹饰的视线。但似乎是外面罩上了一层雾的感觉，显然还未完全烧制成功。

著名的巩县窑就烧造有唐青花，唐青花用的钴料与唐三彩基本一致。实际上，巩县窑完全有能力烧制成熟的青花瓷，但巩县窑没有这样做。原因是青花瓷在当时是一种外销瓷器。因为唐三彩是一种明器，想必唐人是不会用青花瓷做实用器的。而在当时的扬州等地，国外人由于没有唐三彩为明器的概念，很喜欢这种白地蓝花的瓷器。因此在今天的扬州城发现不少唐青花的标本，而扬州在唐代是一个大港口（相当于现在上海的地位），聚集着各国的商人。

二、宋青花

宋代青花瓷依然有见，但与唐代相比并没有太大区别，基本上是唐代的延续。在数量上比唐代有进一步的减少。"由于宋代青花准确纪年器物发现得很少，所以其造型特征应该还是比较模糊，不过从其成熟度以及在宋代流行的情况来看，造型应该还是以碗、盘、罐等生活用具为主。"（姚江波，2010）可见，宋代青花瓷显然还未烧制成功，成熟意义上青花瓷的生产依然是遥遥无期。

图 1-4　青花瓷器标本·元代

三、元青花

元代景德镇烧制出了成熟的青花瓷器（图
1-4），真正烧制成功的具体时间为元至正时期。

青花瓷的烧制成功，是中国古瓷器进入鼎盛
期的再次体现，同时也是中国人的一大创举，从
此青花瓷以其独有的魅力登上历史舞台。

元代青花瓷主要还是用于外销，一是中东地
区有着使用青花瓷的传统。二是随着元朝疆域的
不断扩大，各国商人到元朝来经商也通行无阻，
青花瓷远销到世界各地（图 1-5）。

图 1-5　典型"至正型"青花瓷器标本·元代

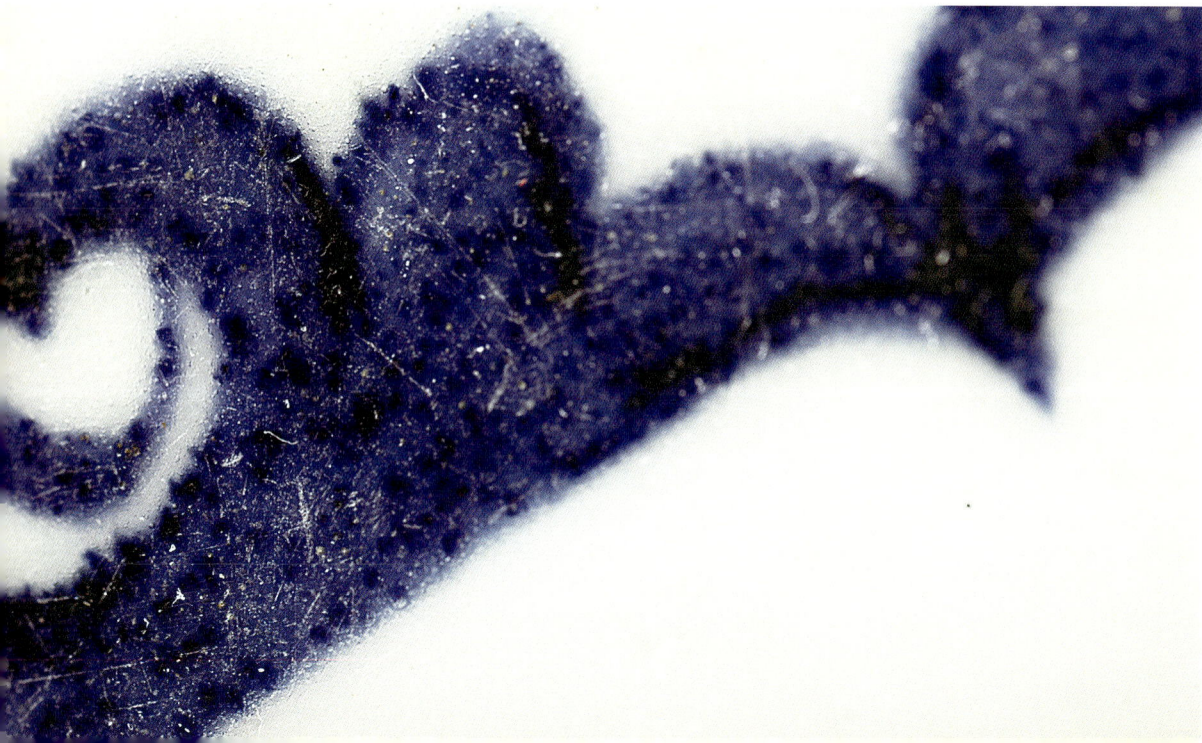

图 1-6　宣德青花瓷碗·当代仿明

四、明青花

青花瓷自烧制成功后，以迅猛的速度向国内外发展。明代主要转向内销为主，至明代永乐、宣德时期，在烧造技术上达到顶峰（图 1-6）。

在造型上，胎体变薄，有秀、巧、轻、薄感；底足未经打磨，手感粗糙，有棱角，俗称"月亮弯"底。

在青料上，官窑主要使用进口料，在来源上主要有两部分：一是用元代剩下的进口料，二是用郑和下西洋带回来的"苏泥麻青"料（中文译为玻璃蓝）。以上两种青料实为一种料，同出于一个产地，其特点是色泽浓艳、凝重。民窑依然用国产料。

宣德青花瓷已经将青花瓷的烧造技术发展到了极致。此后，明代的各个时期的青花瓷如景泰、天顺、成化、弘治、正德、嘉靖、隆庆、万历等都比较好，但显然都未能超越永乐、宣德青花瓷。

五、清青花

清代瓷器主要以青花瓷为主（图1-7）。

在造型上，康熙早期有明末遗风，器物
整器显得厚重，做工粗糙，露胎处常见火石红，
底足打磨后呈泥鳅背状（图1-8），手感滑润。
但康熙晚期胎土淘炼已十分严格，胎体变薄，
没有厚重感，且瓷化程度高，胎釉结合良好，
故看上去细致坚硬。

在青料上，康熙早期用国产的石子青，
发色灰暗，呈紫色；中期后使用浙料和珠明
料，发色艳丽，呈蓝色，能分出浓淡层次，
青花品种急剧增加，如白地青花、豆花青花、
青花加紫等都出现了。

在纹饰上，将绘画艺术完美地运用到青
花瓷上来，使纹饰所能表达的内容大为增加。

图1-8 泥鳅背青花瓷碗标本·清代

图1-7 青花瓷标本·清代

　　雍正时期，青花瓷器在工艺上极尽心力，在精益求精的程度上达到了历史之最。

　　乾隆时期青花瓷更是百花齐放，出现了青花矾红彩、外豆青里青花、外酱色釉里青花、哥釉青花、青花斗彩玲珑瓷、黄地青花、黄地青花加胭脂红、淡描青花填绿彩等，犹如星光璀璨，种类繁多，使人如痴如醉（图1-9）。

　　自乾隆以后，中国的制瓷业彻底走向没落，嘉庆、道光、咸丰、同治、光绪、宣统时期，都没有什么精品出现。在工艺上也没有突破，主要生产一些日用瓷和陈设器，仿别朝甚多，质量粗略，再也没有辉煌过。

图1-9 精美绝伦青花五彩瓷器标本·清代

图 1-10 品相较优青花漆盒·清代

图 1-11 严重残缺青花瓷标本·清代

第三节 品 相

中国古代青花瓷在品相上表现出来的是参差不齐（图 1-10）。遗存到今天的青花瓷既有完好无损、精美绝伦之器，更有残缺不全者，主要以时代为显著特征（图 1-11）。

唐青花很少见有完整器皿；宋青花也很少见到；元青花完整器皿世界上只有几十件，其他基本上都是严重残缺的碎片；品相优者主要以明清青花瓷为主，遗存到今天完好无损的青花瓷还比较常见。我们可以欣赏到永乐、宣德青花瓷之韵，更能观赏到康熙、雍正、乾隆青花瓷的清新雅致，精美绝伦。

　　尽管明清时期品相优良的青花瓷比较常见，但如果与
残缺者相比依然是极少数。另外，这些精美绝伦的青花瓷
绝大多数都是传世品，几乎每一件器皿都是传承有序，今
天大多收藏在世界上著名的博物馆中，以中国台北故宫博
物院和北京故宫博物院内所藏最巨（图1-12）。

图 1-12　品相较优青花瓷盏·清代

图 1-13 品相较优青花瓷碗·明代

　　由此可见，青花瓷在品相上优者少、残者多，这样青花瓷的收藏自然是以品相优的精品瓷器为显著特征，所具有的保值和升值的潜力非常大。而品相有问题的青花瓷由于数量太多，不符合"物以稀为贵"的价值规律，所以其价值自然会大打折扣。我们在收藏时要谨慎对待（图1-13）。

第二章　胎　质

第一节　胎　色

　　青花瓷在胎色上具有鲜明特征，主要以洁白胎为主（图 2-1），兼具灰白、青色、灰色、褐色、青灰、红褐、砖红、深灰、暗红、灰褐、黄褐等胎色，可见其色彩多元化是一个不争的事实。

　　但值得注意的是，洁白胎在数量上占据着绝对的主流地位，可能要占到 90% 以上；而其他诸胎基本上呈现出均衡化发展的趋势，每一种都不是很多。另外，从官窑和民窑以及精致程度上看，特征都非常明确。下面我们具体来看一下。

图 2-1　洁白胎青花盖·明代

图2-2 白胎青花瓷标本·元代

图2-3 白胎青花瓷标本·清代

一、白 胎

1. 纯白胎

白胎青花瓷不断出现在元代青花瓷上（图2-2），显然成为了一种青花瓷胎体发展趋势，对后世影响比较大，以至于元明清时期白胎的青花瓷已经相当普遍（图2-3）。

从颜色类别上看，白胎属单色胎范畴，没有复色的存在，色彩稳定，多指纯白色的胎体。元明清时期纯正的白胎青花瓷数量居多，成熟的青花瓷在元明清时期胎色上基本呈现出均衡化的态势。纯白色调显然是青花瓷胎体成熟的一种标志（图2-4），达到纯白的胎体基本上都是成熟的瓷胎。因为达到纯白色需要最好的高岭土料、最为精炼的淘洗，以及最好的烧造技术力量为支撑，所以这一点毋庸置疑。

由此可推定，元明清时期白胎的青花瓷一定都是烧造极为精致的青花瓷。元明清时期之所以白胎的青花瓷数量较多，就是因为这一时期产生了众多的景德镇窑精致青花瓷，基本上所有精致的青花瓷都应是白胎（图2-5）。

从精致程度上看，纯白色胎多十分细腻（图2-6），基本无杂质，粗糙的情况也有见，但数量很少。

图2-4 纯白胎青花瓷碗足标本·清代

图2-5 白胎青花瓷胎体·明代

图2-6 纯白细腻青胎体青花瓷标本·清代

图2-7　白褐胎青花瓷虾纹标本·民国

2. 白褐胎

从色彩类别上看白褐胎显然属复色（图2-7），为白褐两种色彩的结合体，也可以说是在以白色为基调的基础上衍生出的色彩。不过从色彩自然形成的规律来看，一般情况下白色向灰色转化的可能性较大，转向褐色的情况不是很多。事实的确是这样的，在元明清时期的青花瓷中白褐胎不是很常见，可以说只是偶见。

3. 白胎泛黄

白胎泛黄的胎体青花瓷上有见，白胎泛黄从色彩类别上看是介于单色和复色之间的一种色彩（图2-8），它的色彩本质还是白色，只是在白色的胎体当中微闪烁着黄釉，具体情况不是太一致，有些看起来相当严重，有些只是微微泛黄，从色彩上看不是很稳定，显然还未形成衍生性色彩。从原料上看，白胎泛黄青花瓷在来料上以粗糙的瓷器为主。从淘洗上看，绝大部分还是十分精致，偶见有粗糙者。胎体上有杂质的情况也很少。不过白胎泛黄釉的青花瓷在数量上并不占优势，元明清时期基本上很少见到，但又都有见，只是远未形成一种流行的趋势。如果从数量上讲，白胎泛黄的青花瓷依然属于绝对少数，鉴定时应注意分辨。

图2-8　白胎泛黄青花瓷碗·清代

二、黄　胎

1. 淡黄胎

淡黄胎属于单色胎的范畴，淡淡的黄釉色彩显得十分刺眼，淡黄色胎的青花瓷在色泽上较为稳定，几乎不见串色的现象，是一种十分成熟的胎色。不过淡黄色胎体的青花瓷在元明清时期有见，但数量很少，多出现在一些较粗的瓷器之上，鉴定时应注意分辨。

2. 黄白胎

黄白胎的青花瓷时常有见（图2-9），黄白色是一种复色，是黄色和白色两种色彩的融合，但主要还是以黄色胎为主体，在黄色为基调的基础上衍生出来的色彩。黄白胎青花瓷在元明清时期十分丰富，呈色稳定，是黄胎类青花瓷在胎色上的重要色彩之一。不过从时代上来看，元明清时期这种胎体的青花瓷数量很少，元代很少见；而到了明代，黄白胎的青花瓷在数量上有所增加，但这与整个明代青花瓷数量的增加有关；清代与明代基本相当。由上可见，黄白胎的青花瓷主要是在明清时期较为流行（图2-10）。从窑口上看，黄白胎的青花瓷特征不是很明显，主要以民间土窑烧造的青花瓷为显著特征。

图2-9　黄白胎青花瓷标本·清代

图2-10　黄白胎青花瓷标本·清代

3. 黄褐胎

黄褐胎的青花瓷有见（图 2–11），黄褐胎也是一种复色，黄褐两种色彩完美地融合在一起。从色彩的稳定程度上看，黄褐色胎体在色彩上已经基本稳定，很少见到有来回串色的现象。从粗糙程度上看，一般黄褐胎的青花瓷在胎体上是粗糙与细腻并存，多数胎体十分细腻，在胎体上很少见到大的颗粒状杂质，但也有一部分看起来较为粗糙，胎体杂质较为清晰。从总体来看，这一时期黄褐胎青花瓷在胎体上有向细腻倾斜的趋势。从原料的使用上看，黄褐的呈色很少见于高岭土胎，而是一些黏土及夹杂着掺和料的胎体，从实物来看，黄褐胎的青花瓷的确有很多不是瓷土，而是各种料质都有，主要是一些泥质的土胎（图 2–12）。不过这种情况多出现在明清时期，且在官窑瓷器之上基本不见，以民窑瓷器的烧造为主。

从青花瓷的品类和精致程度上看，黄褐胎的青花瓷各种色彩的釉质都有涉及，如黄地青花、淡描青花、青花斗彩、青花五彩、青花浮雕等都有见；但从青花瓷整体的精致程度上看，黄褐胎的青花瓷在各个时期则表现出了比较一致性的特征——比较粗糙。从许多窑口发现的黄褐胎青花瓷标本来看，明清都是比较粗糙的青花瓷，这样看来元明清时期的黄褐胎青花瓷在粗青花瓷的特征上具有连续性。当然这与黄褐胎青花瓷所使用的原料粗糙有一定关系。不过并不是所有的黄褐胎青花瓷都是粗瓷，偶而有见普通的瓷器，但数量很少，鉴定时应注意分辨。

图 2–11　黄褐胎青花瓷标本·清代

图 2–12　黄褐胎青花瓷标本·清代

图 2-13 土黄胎青花瓷标本·清代

图 2-14 土黄胎青花瓷标本·清代

4. 土黄胎

元明清时期土黄胎的青花瓷有见，但数量不是很多，只能说是偶见。用土黄的称谓来描述这类青花瓷的确很贴切（图 2-13），因为它们的胎色就是像黄土一样，如果和黄土对比你基本看不出有什么区别。我们在全国很多地方都发现了土黄色胎的青花瓷，有的青花瓷外表看起来很好看，但从同类的标本上看胎体是土黄色。

从青花瓷的精致程度上看，土黄胎的青花瓷多是较为粗糙（图 2-14），而且比黄褐胎更为粗糙，因为土黄胎多是一般的细泥烧造而成，这一点从唐代青花瓷可以看出。

从胎体的细腻程度上看，土黄胎的青花瓷一般胎体不是很细腻，略有一些杂质，在呈色上有时也不稳定，有气孔。但同时也存在着另外一种情况，就是胎体十分细腻，杂质也很少，从胎质上看几乎无可挑剔，正是因为其所使用的原料不好，所以工匠们才特别注意到了淘洗等工序。

从现实角度来讲，过于粗糙的细泥料也不利于成型，所以一般情况下温度都比较高。

图 2-15　灰白胎青花瓷标本·清代

图 2-16　灰白胎青花瓷标本·清代

三、灰 胎

1. 灰白胎

元明清时期青花瓷灰白胎者有见（图 2-15），墓葬和遗址当中都有见，传世品中也有见，而且在总量上有一定的量，看来灰白胎是元明清时期瓷器最主要的胎色。从残破的标本来看，实际上有很大一部分青花瓷的胎体都是灰白胎，特别是明清时期的民窑中十分常见（图 2-16）。从灰白胎的色彩类别上看，灰白胎明显属复色，即由灰和白两种色彩融合而成，色彩最为不稳定，偏色现象比较严重，可以偏向灰色，也可以偏向白色。但对于青花瓷而言，色彩偏向灰色的不多，主要以偏向白色为主（图 2-17）。

图 2-17　灰白胎青花瓷标本·清代

图 2-18 灰黄胎青花瓷标本·清代

2. 灰黄胎

灰黄胎青花瓷在元明清时期有见，实际上灰黄胎是这一时期青瓷、白瓷、黑瓷、黄釉等诸多品类瓷器胎体的流行色，之所以少量地出现在青花瓷上，显然较多地受到传统的影响所致。而这种影响显然以民窑为显著特征，我们在鉴定时应注意分辨。从数量上看，元明清时期灰黄胎的青花瓷，多属偶见。从精致程度上看，灰黄胎的青花瓷以粗糙为主，在精致的青花瓷中不见。从色彩本身来看，元明清时期的灰黄胎青花瓷在胎色上显然属于复色，为灰色和黄色的融合体。而且从实物观测来看，这种灰黄色青花瓷的胎色十分稳定（图 2-18），一般没有偏色现象，显然是一种较为成熟的胎色。从胎体上看，也是普通与粗糙并存，但总的来看主要还是以粗胎为主。

图 2—19 红褐胎青花瓷标本·清代

图 2—21 红陶胎青花瓷标本·清代

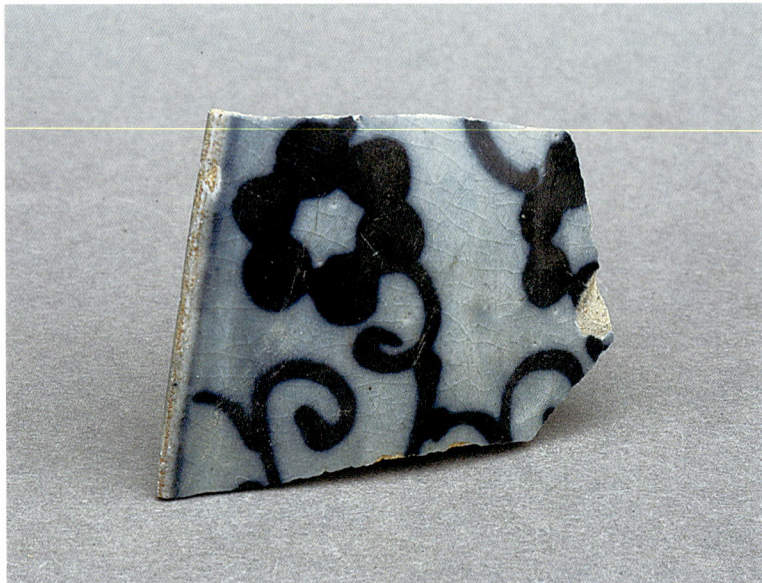

图 2—20 红陶胎青花瓷标本·清代

四、红 胎

1. 红褐胎

元明清时期，红褐色胎体的青花瓷有见（图 2—19），都是一些复色胎体。其中红褐胎的青花瓷就较为常见，红褐胎是红色和褐色的融合体，是红色向褐色的衍生性色彩，在隋唐时期已经较为成熟，很少看到串色较为严重的胎体，在胎色上比较稳定。从精细程度上看，红褐胎的青花瓷主要以粗糙为主。从窑口上看，景德镇官窑瓷器当中很少见，主要以民窑主。从数量上看，元明清时期就十分常见，多为一些非高岭土的胎体；但如果从总量上来看，依然属于少数。

2. 红陶胎

元明清时期，红陶胎青花瓷依然有一些，像红陶一样的胎体显得十分原始，但只是胎色像红陶而已，从温度上看相当高，完全具有瓷胎的重要特征，具有红陶胎体的青花瓷在元明清时期数量很少，元明清时期红陶胎的青花瓷在概念上与我们想象的像陶一样的粗胎有很大区别，胎色也十分稳定（图 2—20），多为细泥料。从品类特征上看，主要在民间普通的青花瓷上有见，名贵的青花品种瓷器上很少见，如青花五彩等上几乎就不见（图 2—21）。

3. 砖红胎

　　元明清时期砖红胎青花瓷有见，砖红胎主要是指像我们现在黏土烧制出来红砖的颜色，这种砖红胎的青花瓷基本上为黏土烧造而成的原色。青花瓷如果用类似于烧砖用的黏土烧造，似乎匪夷所思（图2-22），但这的确是现实。只不过在色彩上比砖红色要稳定得多，在色彩上可以达到单色的要求，串色现象基本上很少发现。从细腻程度上看，有的细腻，但多数较粗，杂质较严重，元明清时期的青花瓷上可以说是几乎不见。从窑口上看，偶见砖红胎的青花瓷主要以乡村级民窑烧造为主，官窑没有这样的器皿。从精致程度上看，砖红胎的青花瓷，与精致和普通的瓷器无缘，主要是以一些粗糙的瓷器为主。

4. 紫红胎

　　元明清时期紫红胎的青花瓷有见，但从出土器物来看，元明清时期数量很少，只是有见而已（图2-23）。紫红胎在颜色类别上属于复色的范畴，是紫色向红色延伸，也是紫色和红色完美的融合。从色彩的浓淡程度上看，色彩较浅，明显有向紫色的倾向性。从色彩稳定性上看，紫红胎在色彩上相当稳定，基本上没有了串色现象，是一种十分成熟的色彩。从原料上看多为黏土料，从淘洗上看不是很精炼，鉴定时应注意分辨。

图2-22　砖红胎青花瓷标本·清代

图2-23　紫红胎青花瓷标本·民国

图 2—24　高岭土胎青花瓷标本·清代

图 2—25　高岭土胎青花瓷标本·清代

第二节　胎质特征

一、高岭土胎

　　中国古代青花瓷多以高岭土为料（图 2—24），这是由高岭土胎体延展性好、坚固、不变形等自身固有的优点所决定的。从胎色上看，精致青花瓷对应的多是洁白细腻的胎体；灰白胎对应的多是普通青花瓷；而有串色和偏色的所对应的多为粗糙的瓷器。从时代上看，高岭土胎贯穿于青花瓷生命始终。从窑口上看，精致的高岭土料是景德镇窑的一大特点，正是由于景德镇优良的高岭土料，为其瓷都的地位打下了基础（图 2—25）。从精致程度上看，官窑青花瓷选料一定精良，民窑则呈现出多元化的特征。

二、黏土料

黏土料是硅酸盐材料的一种，包括细泥料、泥质料、夹砂料、夹云母料、夹蚌料等，这种古老的胎料在青花瓷上同样有见。从胎色上看，黏土料在色彩上以橙、黄、褐、土黄等色为多见。从时代上看，青花瓷黏土胎在明清时期多见。从官、民窑上看，青花瓷黏土胎主要以民窑青花为主（图 2-26），官窑瓷器中基本不见。从精致程度上看，黏土胎的青花瓷与精致和普通瓷器无缘，基本上都是一些粗制滥造的瓷器，在当时销售给贫困的老百姓使用。在青花瓷的黏土胎中最常见的应该是泥胎。泥胎青花瓷一般都采用细泥质黏土，原料质量优良，淘洗精炼，看不到杂质。从色彩上看，泥胎烧制而成的青花瓷在色彩上主要以红、橙、黄、褐等色为常见，如红褐、土黄、砖红等。从色彩浓淡程度上以浅色为主，过于浓重的色彩很少见，如灰、黑、青等。从烧制上看，元明清时期泥胎的青花瓷多为粗糙的青花瓷，主要以民窑生产为主。

图 2-26 黏土料青花瓷标本 · 清代

图 2—27　淘洗精炼青花瓷碗·明代

图 2—28　洁白胎青花瓷标本·元代

图 2—29　淘洗精炼青花瓷标本·元代

三、淘　洗

淘洗是青花瓷在选料之后的一道工序，青花瓷在淘洗上的特征以精益求精为主（图2—27）。胎色与淘洗有着一定的关联，但这种关联对于青花瓷而言并不是很明确，因为多数青花瓷在胎体上都是洁白胎（图2—28），淘洗精炼或者是普通的胎体都有可能是洁白胎。从原料上看，选料与淘洗的关系密切，通常优质高岭土料在淘洗上多是十分精炼，普通和粗糙者在淘洗上则呈现出依次下降的趋势。不过这一点在青花瓷上体现得不是很鲜明，略显弱化（图2—29）。其原因是青花瓷基本上在选料上都比较好，只有很少一部分在胎体选择上有问题。从时代上看，元明清青花瓷的淘洗基本相似（图2—30），没有过于复杂性的特征。从官窑与民窑上看，特征明确，官窑青花瓷淘洗精炼程度无可挑剔，而民窑青花瓷在淘洗上以精炼为主，但普通和粗糙的也有见（图2—31）。

图 2—30　精细胎青花瓷·清代

图 2—31　天启朝淘洗精炼青花瓷标本·明代

图 2-32　精细胎青花瓷标本·清代

图 2-33　顺治精细胎青花瓷标本·清代

四、精细胎

元明清时期精细胎的青花瓷数量非常多（图 2-32），从青花瓷烧制成功之始精细胎显然就成为了一种传统。精细胎不仅仅是指胎体淘洗精细，而且一般是胎体的杂质很少，几乎无杂质；同时，胎体的用料讲究；烧造温度高，胎体完全烧结（图 2-33），没有变形等特点，诸多因素加起来才能称其为精细胎。从数量上看，元明清时期精细胎的数量与青花瓷的总量相比所占比例很小。从精致与粗糙的辩证关系上看，元明清时期的精致青花瓷基本上都是精细胎；而精细胎的青花瓷却不一定是精致青花瓷。这一点应注意。从官、民窑上看，精细胎青花瓷在元明清时期十分讲究窑口特征，而且特征十分明确。精细胎青花瓷多为官窑所烧造；当然民窑当中也有见，不过显然没有官窑那样纯正（图2-34），鉴定时应注意分辨。

图 2-34　官窑精细胎体青花斗彩瓷器标本·清代

五、略粗胎

中国古代青花瓷中经常见到一些介于细胎和真正粗胎之间的胎体（图2—35）。这类胎体多数有一些明显缺陷，如淘洗略粗、略有偏色、有气孔、杂质明显、胎体略有变形等。当然这些缺陷一般不会同时集中在一件器物之上，而是分散存在，局部体现。从数量上看，虽然不能占据主流地位，但从数量上看是最为接近主流的精细胎，看来元明清时期略粗胎的青花瓷比较多（图2—36）。从具体特征上，略粗胎的青花瓷与精细胎相比有许多不确定的地方，比如略粗胎常在规整程度上存在着微小的瑕疵，在原料的使用上没有使用最好的瓷土矿，或者是在温度上没有把握住等，总之是有一定的毛病。但并不是说略粗胎的青花瓷都有瑕疵，这只能说明青花瓷在精细胎的烧造上是精益求精，不放过任何的细微之处；而在略粗胎的烧造上虽然也是精益求精，但要求并没有像精细胎那样严格，所以才会出现了这样或者那样的瑕疵。从精致程度上看，略粗胎的青花瓷在精致程度上特征分散，从出土器物看，精致、普通、粗糙者都有见（图2—37）。如果从数量上看，普通青花瓷所占比例最大，绝大多数略粗胎的青花瓷都是一般的青花瓷。从官、民窑上看，略粗胎青花瓷在窑口特征上十分清晰，就是以民窑瓷器为主，官窑瓷器当中很少见。

图2—34　略粗胎青花瓷标本·清代

2—36　略粗胎青花瓷标本·清代

2—35　略粗胎青花瓷标本·清代

图 2-38　粗胎青花瓷标本·清代

图 2-39　灰黄胎青花瓷标本·清代

六、粗　胎

元明清时期，青花瓷真正粗糙的胎体不是很多见（图 2-38）。从时代上看，没有过于规律性的特征，可以说在元明清时期都有见，但数量极少。在元代以前多以未烧制成功的青花瓷为多；元代以后则主要是以粗糙的瓷器为显著特征，与官窑瓷器基本无缘，主要是在一些民窑粗瓷中有见，而且在数量上不是很常见。如果与青花瓷胎体总量相比，有时候看 100 件瓷器都不一定遇到一件。由此可见，元明清时期粗胎的青花瓷显然不是主流（图 2-39）。但青花瓷粗胎的形成与烧造温度、夹砂等没有必然的联系，而主要与选料和淘洗有关，鉴定时应注意分辨。

图 2-40　夹砂胎明显青花瓷碗·清代

七、夹砂胎

中国古代青花瓷胎体夹砂的情况有见，但主要以黏土胎为主（图 2-40），高岭土有意夹砂的情况很少见。

1.粗砂胎

青花瓷还存在着一些夹砂的粗质胎体，从颗粒的大小上看，粗砂胎的颗粒通常不是很大，看上去相当原始。从色彩上看，青花瓷粗砂胎的沙砾白、黄、黑、褐、黄褐、灰白等诸多色彩多有见，但主要以黄褐和灰白等色彩比较多见，不过数量也不是很多，总之粗砂胎在色彩上特征较为模糊，没有特别的规律可循。从官、民窑上看，出现粗砂胎的青花瓷民窑比较普遍，而官窑当中不见。从精细程度上看，粗砂胎的青花瓷在精致程度上以粗糙的青花瓷为主。从时代上看，粗砂胎青花瓷元明清时期都有见，但主要以明清时期为多见，从总量上看很少，多为一些乡村级的窑场烧造。

2. 细砂胎

细砂胎青花瓷有见（图2-41），细砂胎从沙砾大小上看，砂子颗粒比较小，沙砾一般都经过仔细加工，较为精细，从色彩上看，杂色比较少，多为同一种色彩，以白胎为多。细砂胎青花瓷多以普通和粗糙的瓷器为主，精致者不见。但这只是一个概率性质的鉴定要点，鉴定时应注意分辨。

图2-41 细砂胎青花瓷标本·清代

从规整上看，细砂胎青花瓷通常多规整，很少见胎体有变形现象，胎体在制作上较为精细。从温度上看，细砂胎的温度通常较高。在元明清时期，人们似乎并不刻意为了降低温度而有意地夹砂，一般都是在较高温度下烧造有沙砾的青花瓷。这样，夹砂的青花瓷烧造出来的胎体就相当坚硬，很多青花瓷保留到现在依然是完好无损（图2-42）。从官、民窑上看，细砂胎的青花瓷主要以民窑为主，官窑基本不见。从地域上看，全国各地基本上都有见。从流行阶层上看，这一时期细砂胎的青花瓷除了宫廷用官窑器皿外，没有特定的流行阶层和固定的青花瓷种类，而是各个阶层都见使用。从数量上看，元明清时期细砂胎的青花瓷有见，但数量不是太多。

图2-42 细砂胎青花瓷标本·清代

图 2-43   胎体厚重青花瓷标本·元代

图 2-44   胎体厚重青花瓷标本·清代

八、厚重胎

中国古代青花瓷厚重胎者有见（图2-43），但具有鲜明的时代特征，主要以元代青花瓷的胎体为多见，另外明代初年的时候也有一些。元青花厚重的胎壁显然是为了适应外销的需要，如有的器物在胎壁的厚重程度上可以达到1～2厘米。可见，其厚重程度是何等的严重。明代厚重胎的趋势迅速趋缓，基本上不见这样厚重胎体的青花瓷，因此，胎体厚重是元青花瓷器在胎体上的重要特征。当然厚胎的概念与造型有着密切关系，厚胎仅是一个模糊概念，并不是只看尺寸就能决定的，还要看青花瓷的造型。如果硕大造型的青花瓷的胎体即使比较厚，但相对于造型来讲这样的胎体不能说是胎体厚重，而有的青花瓷造型并不大，但是胎壁较厚，虽然没有硕大体型青花瓷的胎壁厚，但是这样的瓷器我们依然称其为厚重胎，由此可见，青花瓷厚重胎体的概念实际上是辩证的。但实际上即使用这种概念来判断，青花瓷厚重胎体者在明清时期也很少见。从官、民窑来看，厚重胎体的青花瓷在明清时期主要出现在民窑瓷器中（图2-44），真正官窑瓷器当中发现厚重胎体的情况罕见。从精致程度上看，厚重胎的青花瓷在胎体上主要是在普通和粗糙的瓷器上有见，与精致瓷器基本无缘。

九、略厚胎

中国古代青花瓷略厚胎并不常见（图 2—45）。从时代上看，以元代和明早期为多见，其他时期出土数量为辅。略厚胎的青花瓷显然不是元明清时期青花瓷的主流，从总量上看明显是这样，只是在具体的时代特征上有较大差异性。略厚青花瓷的概念十分明确，就是比要明显薄于厚重，但比薄的瓷器要略厚。从精致程度上看，略厚胎体的青花瓷与精致程度关系密切，但以时代为显著特征，元代青花瓷胎体略厚显然不能判断精致与否，精致、普通、粗糙的情况都有可能，而且精致的可能性还要大一些。而明代，略厚胎的青花瓷在精致程度上显然与粗瓷的关系较为密切，至少说是与精致瓷器无缘。清代在这一特征上基本上同明代相似，在鉴定时应注意分辨。从官、民窑上看，略厚胎的青花瓷与官、民窑的关系并不是很密切，但从实践中看更倾向于民窑。从胎体的精细程度上更倾向于精细和普通的胎体，与粗糙胎体没有直接的关联，同时与夹砂胎体也没有必然的联系。

图 2—45 略厚胎青花瓷标本·清代

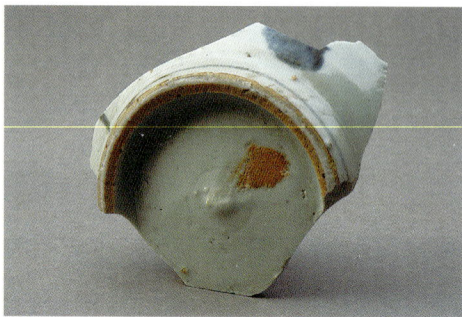

图 2—46 较薄胎青花瓷标本·清代

图 2—47 较薄胎青花瓷碗·清代

十、较薄胎

较薄胎的青花瓷在元代很少见到，但在明清时期常见（图 2—46）。从数量上看，规模巨大，明清时期大多数青花瓷在胎体的厚度上都是较薄胎（图 2—47）。较薄胎主要是指比厚胎略薄一些的胎体，但显然比薄胎要厚。另外我们还要注意到较薄胎的青花瓷并不是一个十分具体的概念，它不能用具体的数字来表达，如多少厘米到多少厘米的胎体为较薄胎，而是相对于造型的概念。只有针对不同造型和大小的青花瓷，才能有一个具体尺寸来确定较薄胎的青花瓷。总而言之，是以视觉为判断标准，是一场视觉的盛宴（图 2—48）。从烧造温度上看，明清时期较薄胎青花瓷的烧造温度一般较高。从规整性上看，较薄胎的青花瓷在胎体上多十分规整，变形的胎体很少见。从粗糙程度上看，较薄胎的青花瓷胎体一般较为精细，胎质细腻，基本无杂质。但由于较薄胎的青花瓷数量众多，情况相对比较复杂，发现有一些较薄胎青花瓷在胎体上十分粗糙（图2-49）。从官、民窑上看，较薄胎体的青花瓷特征不是很明显，无论官、民窑的青花瓷在胎体上基本都是以较薄为主。显然较薄胎的青花瓷无疑是元明清时期青花瓷在胎体上的主流特征。

图2-48 较薄胎青花瓷标本·清代

图2-49 较薄胎青花瓷标本·清代

图 2-50 轻薄胎青花瓷器盖·清代

图 2-51 轻薄胎瓷盘·清代

十一、轻薄胎

　　元明清时期轻薄胎青花瓷数量不是太多。尤其是元代几乎没有，以明清时期为主（图 2-50）。明代初期也很少见，永乐、宣德时期青花瓷进入巅峰状态之后，轻薄胎体逐渐进入人们的视线。轻薄胎体的青花瓷具有两个重要特点，不仅仅是薄，而且对于青花瓷胎质的要求也比较高，胎体温度高、完全烧结，在选料上还异常讲究，所使用瓷土质量上乘，淘洗精炼等。只有这样瓷胎才能保证既轻有薄的要求（图 2-51），反之则是我们经常看到有些青花瓷虽然胎体较薄，但从手感上却是比较厚重，这样的青花瓷显然不能达到轻薄胎的要求。轻薄胎的青花瓷在明清时期总量并不大，这种要求较高的轻薄胎青花瓷主要在较为精致的瓷器之上出现，而且以官窑青花瓷为主，民窑青花瓷当中很少见到。可见，轻薄胎的青花瓷显然是官窑瓷器当中的精品力作。

图 2-52　薄胎青花瓷碗·当代仿宣德

十二、薄　胎

中国古代青花瓷中真正薄胎者并不常见（图 2-52），主要原因是真正意义上的薄胎与实用的功能背道而驰。元明清时期薄胎青花瓷元代排除在外；明代永乐宣德时期开始有见；直至清代，但数量很少，基本上也是偶见。薄胎的概念是一个相当抽象的概念，薄到什么程度的青花瓷称之为薄胎青花瓷，我们发现在明清时期有一些薄胎青花瓷像纸张一样，几乎是透明的，像这样的青花瓷基本上只有观赏的功能，而失去了实用的价值。宣德时期实际上已经有见这种胎体异常薄的青花瓷，但在造型上多为实用器的造型如青花瓷碗，而并不像后来清代这类青花瓷基本上集中到了瓶等观赏器皿之上。但明代如此薄的青花瓷是否实用目前还没有定论。

图 2-53　薄胎青花瓷盏组合·明代

图 2-54　官窑薄胎青花瓷盏·明代

　　从出土器物来看，虽然人们也追求器物的精致化程度，特别是青花瓷的胎体有不断变薄的趋势，但总的来看，由于功能的限制，诸多证据表明在明清时期基本还未出现只用于观赏的薄胎的青花瓷，多数为实用与装饰性的结合。从技术上看，明清时期薄胎的青花瓷在技术上显然不是问题，以明清时期的技术水平可以烧制出任何薄胎的青花瓷。从规整程度上看，明清时期薄胎的青花瓷虽然数量少，但造型十分规整，虽然很薄（图 2-53），但是胎体基本没有变形现象，反而是异常的精炼。因为这类器皿一般情况下在当时显然是属于特种瓷，装饰性的意味较为浓郁，所以在制作上通常都比较认真，从而有效避免了胎体变形现象。从官、民窑上看，明清时期薄胎的青花瓷在官、民窑上特征并不是很明确，无论官、民窑都有见（图 2-54）。

十三、瓷化程度

中国古代青花瓷在瓷化程度上普遍比较高（图2—55），这一点是显而易见的，无论官、民窑都遵循了这一特征，特别是元明清时期的成熟青花瓷更是这样。元明清时期青花瓷胎体基本都已烧结，也就是瓷化程度都非常高（图2—56），这一点是无疑的，从元明清时期青花瓷烧造成功的那一天起就是这样，明清时期同样也是这样。从实用的角度来看，瓷化程度高是瓷器烧制成功的一种标志。瓷化程度的高与低，从烧造上看与温度有着密切的联系，温度达到达到了1300℃以上，这样的温度完全可以将瓷胎烧结，瓷化程度达到优良。由于青花瓷是人们日常生活当中最主要的实用器，所以在当时人们特意注意了它的温度，目的就是为了将胎体的瓷化程度提高（图2—57）。

图2-55 瓷化程度较高青花瓷标本·清代

图2-56 瓷化程度较高青花缠枝花卉碗·清代

图2-57 瓷化程度较高青花瓷瓶·清代

2-59 瓷化程度较高青花瓷标本·元代

图 2-58 瓷化程度较高青花瓷盘·清代

　　当然胎体烧结不仅仅是与温度有关，而且还与胎体所使用的原料、烧造的方法、使用的窑炉、胎体杂质的多少，以及是否是砂胎等诸多因素有着密切的关系，如有的原料由于矿物耐热性较强，所以导致有些地方难以烧结，这种现象是有的。因为这是一种很正常的自然现象，在青花瓷胎体上表现就是有些胎体在色彩是不是很一致，看起来很明显。但是这种情况在精致青花瓷上基本不见，在少量粗糙青花瓷上，特别是非高岭土烧造青花瓷上却是经常有见。总之，青花瓷在胎体的烧结上还比较好，瓷化程度高成为了该时期青花瓷在胎体上的主流特征（图 2-58）。从官、民窑上看特征非常明显，官窑青花瓷基本不见青花瓷的胎体在瓷化程度上有问题者，而民窑瓷器绝大多数瓷化程度都很高（图 2-59），只有很少数的粗糙瓷器在瓷器上有问题，有的胎体看起来还伴随着疏松的情况。

十四、气 孔

中国古代青花瓷胎体之上有气孔的情况经常有见（图2-60），因为从理论上讲制作再精致的青花瓷在胎体上的都不可避免地会有气孔现象出现，只是严重程度不同而已。下面我们具体来看一下：

1. 轻 微

元明清时期青花瓷胎体有气孔的情况有见，但气孔很多比较轻微，从大小上看，一般像针孔大小，而且分布也不是很均匀（图2-61），多为局部有一些，而大部则无气孔现象。气孔严重与否通常与胎体的疏松程度有关，胎体疏松程度越大有气孔的情况则比较严重，而气孔轻微的通常胎体在疏松程度上比较好；另外还与胎体的烧造温度有关，当烧造温度达不到时气孔就会较严重，而当温度达到胎体完全烧结时气孔就会比较轻微。但无论从那一方面看，有气孔的胎体就不应该属精细青花瓷的范畴，这一从理论上似乎很清楚。但从实际情况来看却不是这样，有一些轻微有气孔的胎体在青花瓷的精致程度上依然很好，这也是正常的现象。因为青花瓷胎体上有轻微气孔，实际上对青花瓷没有太大影响，所以有一些看起来较为精致的青花瓷胎体上也会出现。

从官、民窑上看，轻微气孔的胎体主要以民窑为主（图2-62），官窑瓷器中几乎不见，即使有见也是偶见的情况。从精致程度上看，精致瓷器中基本不见有气孔的情况，特别是官窑瓷器中不见，主要以民窑瓷器中的粗糙器皿胎体之上为多见。从用料上看，青花瓷在用料上都使用精致的高岭土料，这本身从

图2-60 微有气孔青花瓷标本·清代

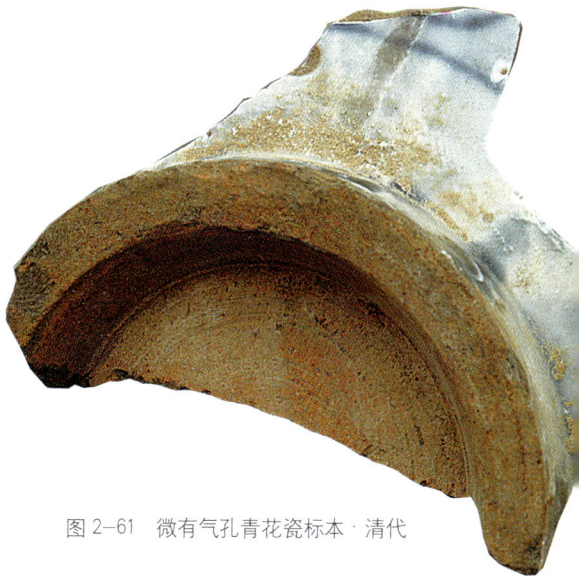

图2-61 微有气孔青花瓷标本·清代

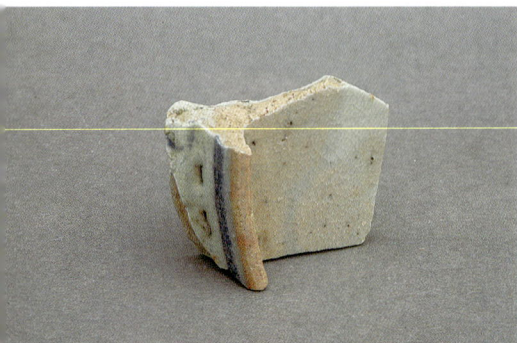

图 2-62 微有气孔青花瓷标本·清代

图 2-63 胎体微有气孔青花瓷碗标本·清代

一定程度上就减少了青花瓷在胎体出现气孔的可能性。但在这一时期，有少量民窑的青花瓷在用料上依然使用的是细泥料，有的泥料还比较粗糙，而在这些细泥料上就容易产生气孔。不过并不是说所有的细泥青花瓷在胎体上都会出现气孔的现象，一些淘洗十分精细的瓷胎显然很少出现气孔的现象，即使有也比较轻微。从数量上看，这一时期胎体有气孔的现象还是经常可以看到，但是如果与青花瓷的总量相比几乎可以忽略不计，数量非常之少（图 2-63），鉴定时应注意分辨。

2. 严　重

元明清时期有严重气孔的青花瓷数量很少，主要是在明清时期的民窑粗糙瓷器中有见。由于在用料和烧造温度上均有问题，故出现了一些气孔较为严重的情况，但在布局上看不是很普遍，有的胎体整个可能就一处或者几处较大的气孔，当然少数较为严重。这些气孔严重的胎体多数胎质不太好，通常呈现出疏松、杂质比较多等现象（图 2-64）。总之，从整体上看元明清时期虽然有严重气孔的情况，但是总的看数量很少，就不再过多赘述。

图 2-64　气孔较严重青花瓷标本·清代

十五、杂　质

中国古代青花瓷胎体杂质不可避免，这是由杂质本身的特性所决定的，从理论上看几乎所有瓷器上都会有杂质存在，只是杂质轻微与严重的程度有不同。杂质的表现形式主要有3种：如果看不到胎体截面上的杂质，称之为"胎体匀净"（图2—65）；如果能够看到的则显然是轻微杂质。如果杂质较为明显，显然是严重杂质。我们具体来看一下：

图2—65　胎体匀净青花瓷标本·清代

1. 点　状

元明清时期有杂质的青花瓷数量比较少，但从杂质的形态上看都为星星点点状（图2—66），这是一种较为轻微的杂质呈现状态。元代人们沉浸在青花瓷烧造成功的喜悦之中，从瓷器制作的各个工序都倾注了极大热情，特别是选料和淘洗上更是这样，所以元青花瓷一般都是胎体较为匀净者（图2—67），青花瓷杂质较多的现象基本上为偶见。但这种点状杂质瓷胎的数量却是时常有见，因为这些点状杂质有时与胎体混合在一起看起来不是十分的清晰（图2—68），就像是没有杂质一样。实际上对于点状杂质很难以控制，不仅在青花瓷上是这样，而且在其他的瓷器上也是这样，如景德镇精致的青白瓷、越窑精青瓷等。

图2—66　胎体有点状杂质青花瓷标本·明代

2—67　点状杂质青花斗彩瓷器标本·清代

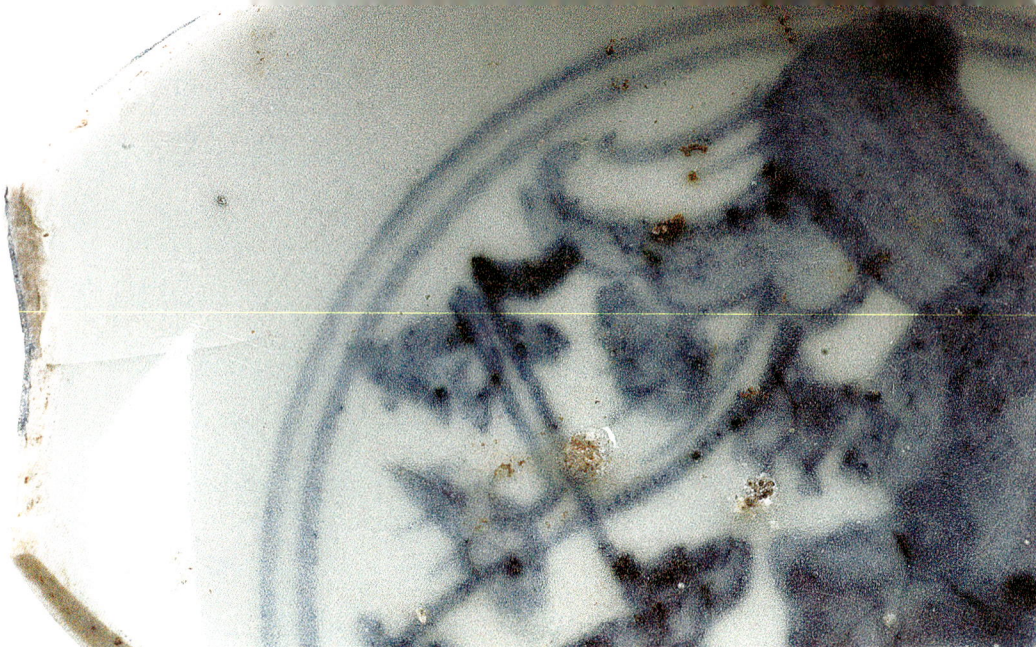

图 2-68 点状
杂质青花瓷胎
体横截面·明
代

2. 粒 状

元明清时期粒状杂质的青花瓷有见，从杂质的形态上看多为颗粒状的杂质，这是一种较为严重的杂质呈现状态，在元明清时期有见，但数量似乎并不是十分丰富。从精致程度上看，通常有颗粒状砂胎的青花瓷多粗糙（图 2-69），很少有精致的青花瓷出现，但一般情况下由于胎体坚硬，保存都比较完好。从流行阶层上看，元明清时期青花瓷多在普通百姓中使用，因为胎体强度比较大，所以在市井之上，百姓之家受到欢迎。

3. 黑 粒

元明清时期青花瓷胎体上有黑色颗粒的情况很少见，一般这些黑色颗粒都比较小，有的就像是一个小点似的，和胎体融合的比较紧密。通常在白色胎体上不是很常见，一般情况下都是以非白胎为显著特征，但是一旦白色胎体上有，那么将看得很清楚，鉴定时应注意分辨。

图 2-69 粒状青花瓷标本·清代

图2-70 造型规整青花瓷标本·明代

十六、规 整

中国古代青花瓷胎体在规整程度上比较好（图2-70），很少见到不规整的青花瓷胎体。这一点无论官窑还是民窑都是这样，但是官窑瓷器似乎表现更好一点，几乎所有的官窑青花瓷在胎体上都是规整的（图2-71）。因为即使偶见有烧造不是很好的官窑器皿，由于官窑瓷器是不计工本的，当时在窑场上便会被作为残次品砸碎掉了。而民窑瓷器在这一点上却是存在变数，精致和普通的瓷器基本上都没有问题，但是对于粗糙的瓷器中一旦有烧造变形者，有的变形不严重，由于不影响到实用所以在当时也就被销售了。这就是我们现在能够看到一些少量变形器皿的原因。从精致程度上看，变形的青花瓷主要以粗糙瓷器为主（图2-72）。

图2-71 造型规整永瓷碗·明代

图2-72 略有变形青花瓷盒·清代

图 2-73　"内外皆美"
青花瓷标本·元代

十七、艺术品特质

　　中国古代青花瓷在胎体之上表现出的艺术品特质特征鲜明（图 2-73）。青花瓷虽然没有达到纯粹的洁白细腻胎体（图 2-74），但是可以说达到了 90% 的水平，官窑达到的是 100%（图 2-75）。这对于一个不仅仅有官窑而且还有民间烧造的瓷器品种来讲是多么不容易。因为民窑对于胎体的认真程度，实际上是无法控制的，主要是靠传统观念的力量。

图 2-74　洁白胎青花瓷标本·明代

图 2-75　官窑洁白胎青花五彩瓷器标本·清代

图 2-76　精细胎青瓷标本·清代

图 2-78　"内外皆美"青花瓷标本·清代

　　也就是说，这种传统精细胎体的观念已经进入到了工匠们的血液里（图 2-76），不自觉地制作出符合传统的精美绝伦的青花瓷胎体，如在选料上异常考究、淘洗上异常精炼、工艺上精益求精等，使青花瓷最大限度地实现了胎体内外"一样美"的艺术品的高度（图 2-77），与青花瓷隽永的造型、沉静淡雅的色调，精美绝伦的纹饰相映衬（图 2-78），从而潜移默化的影响到人们的思想，唤起人们追求真、善、美的真谛，鉴定时应注意分辨。

图 2-77　"内外皆美"青花斗彩标本·清代

第三章　青　料

图 3-1　典型至正型进口料青花瓷标本·元代

第一节　元代青花

　　元至正时期景德镇窑将青花瓷烧制成功（图 3-1），从传世品上看，青料发色浓艳，有铁锈疤痕，从标本上看同时还有晕散现象。显然元至正青花瓷在青料上使用的是进口料，因为只有进口料的特点是低锰高铁，发色浓重、艳丽（图 3-2），在浓深处常出现黑色斑点。至正型元青花显然属于元代官窑器皿，只不过它的形式是"官搭民烧"，但从进口料的稳定性上看，至正型青花瓷显然具有官窑性质（图 3-3）。当然，元代众多的民窑依然使用的是国产料，发色较为黯淡。但是元代至正型青花瓷在青料上很少使用国产料。

图 3-2　典型至正型进口料青花瓷标本·元代

图 3-3　典型至正型进口料青花瓷标本·元代

图 3-4 洪武青花瓷碗标本·明代

第二节 明青花

一、洪武朝

明洪武朝瓷器在时代背景上复杂。实际上 1363 年，称吴王的朱元璋已经控制景德镇（图 3-4），但这距离明朝建立还有一段时间，此时的青花瓷在青料上已经表现出明代的特征。洪武朝开始于 1368 年直至 1398 年，进口料的使用很少见，或者说是偶见，无论官、民窑都是这样（图 3-5）。主要以实用国产料为主，在发色上较为灰暗，有偏向灰褐等的倾向，看来洪武朝青花瓷在青料上总体情况发色较为黯淡（图 3-6），显得十分原始。

图 3-5 洪武青花瓷标本·明代

图 3-6 洪武青花瓷标本·明代

图 3-7 与永乐青料基本相同的"苏泥麻青"料
标本·元代

图 3-8 宣德青花麒麟纹标本·当代仿宣德

二、永乐朝

建文皇帝叔叔朱棣在武装夺取政权后，于 1403 年称帝，这就是永乐皇帝，这一时期是景德镇瓷业大发展的时期。永乐皇帝派遣太监郑和 7 次下西洋，每次都带回了上好的进口料"苏泥麻青"（图 3-7），所以永乐朝官窑青花瓷基本上都使用进口料。"苏泥麻青"发色浓艳，深入胎骨，晕散现象大为减轻，精美绝伦，在青料的呈色上达到了至高水平，成为明代青花瓷在青料上的标志。不过郑和从国外带回来的青料非常珍贵，永乐民窑青花中很少使用，基本上都是使用国产料，色彩发暗，与官窑青花形成了较大的落差，可谓是天壤之别，鉴定时应注意分辨。

三、宣德朝

宣德朝青花瓷延续永乐鼎盛，精品力作不断涌现（图 3-8），开创了青花瓷的永宣盛世。在进口料的使用上依然是官窑的最爱，基本上都使用进口料，发色浓重而艳丽，但在视觉上却总能给人以安稳、沉静而典雅，青料深陷胎骨，非常漂亮（图 3-9）。在国产料上，宣德朝青花瓷并没有像进口料那样大放异彩，而是带有浓重的民窑气息，灰暗、发青的感觉较为浓重。

图 3-9 精美绝伦的宣德青花瓷碗·清代

图 3-10　正统青花瓷碗·明代

四、正统、景泰、天顺朝

明正统、景泰、天顺朝在时代背景上比较清晰。明正统皇帝在大臣王振等的怂恿下御驾亲征，在"土木堡之变"中被俘（图 3-10）。战争对于景德镇官窑瓷业的影响是巨大的，已无心再烧制精美绝伦的青花瓷，事变导致了该朝瓷业停滞不前。在正统皇帝被俘后，其弟继位，这就是景泰帝，而就在其刚刚即位不久，正统皇帝又被释放回来，被尊为太上皇，兄弟之间矛盾很深。正统皇帝通过政变，在 1457 年又废景泰帝为亲王，改元天顺。这段时间由于政局的过分不稳定，景德镇青花瓷并未有新发展，在历史上被称为"空白期"（图 3-11）。这一点从青料的使用上就可以看得很清楚，一改永宣官窑使用进口料的传统，进口料和国产料混搭，而且大有国产料占据上风之势。民窑基本上使用国产料，而且民窑基本上不受上层宫廷内乱的影响，国产料在发色上多为蓝中发灰，有时见有发黑的情况，色泽较为黯淡。总之，在国产料上没有太大的进步，最重要的是它终结了明代官窑完全使用进口料的时代。

图 3-11　景泰青花瓷标本·明代

五、成化朝

明成化朝时间比较长，社会相对稳定，景德镇官窑经过正统、景泰、天顺的"空白期"之后，青花瓷产量很大，瓷业又有了新的气象，但在进口料的使用上却再也没有能够恢复到永宣时期，连最基本的都达不到。官窑青花当中未全部使用进口料，反而是以使用平等青为主(图3-12)，进口料在呈色上与前朝基本相当。从国产料的使用上看，成化朝国产料的地位进一步提高，官窑当中也有使用，民窑瓷器当中更是全部使用国产料，平等青广泛使用，在呈色上也是比较鲜亮，但与进口料相比含蓄得多，柔和（图3-13）。可见民窑青花经过官、民窑的技术借鉴后，烧造水平是在不断提高。

六、弘治朝

弘治朝景德镇窑青花瓷器继续发展，但显然已不可重温永宣辉煌。仅仅在进口料的使用上已经变得很少了，但发色依然艳丽、浓深，看来官窑器皿上使用永乐、宣德青花瓷进口料惯性延续至此消失殆尽。而主要使用平等青国产青料，发色淡雅（图3-14）、柔和，后期色彩较蓝。

图3-12 成化青花瓷标本·明代

图3-13 成化青花瓷标本·明代

图3-14 弘治青花瓷标本·明代

七、正德朝

正德皇帝在位的十几年里，明代社会一直比较稳定，十分注重瓷业的生产，景德镇窑在这一时期内发展迅猛（图3-15），如在青花品种上就发展了黄地青花、青花五彩、青花红绿彩等，异常繁荣。但正德时期的景德镇似乎只是在做表面文章，并没有像永乐、宣德窑那样涉及青花瓷最本质的内容。如进口料的使用明正德朝衰落到了极点，官窑青花瓷当中几乎不见，主要使用平等青、石子青等国产料（图3-16）。色泽灰暗，晚期还使用了回青，色泽发紫。由此可见，正德朝青花瓷在青料上善于尝试，但深度不够。

图 3-15　正德青花瓷标本 · 明代

图 3-16　正德青花瓷标本 · 明代

图 3-17　嘉靖青花瓷标本·明代

八、嘉靖朝

嘉靖皇帝在位时间比较长，在 40 多年的时间里，明代社会，比较稳定，景德镇窑得以稳定发展，在进口料上也有所进步。如少量使用了郑和下西洋时期带回来的青料，但实物的确是很少见，主要以国产料回青为显著特征（图 3-17）。回青在发色上也是比较鲜丽，起码是比传统的平等青和石子青要好得多。回青的烧造显然已是日臻成熟，很多瓷器上能够呈现出纯正的紫色，但早期和晚期有所区别，早期晕散严重（图 3-18），而晚期则表现比较好。

图 3-18　嘉靖青花瓷标本·明代

九、隆庆朝

隆庆朝的时间较短，只有短短的几年光景，虽然政局没有波动，但时间较短，景德镇瓷业的发展基本和嘉靖朝无异（图 3-19）。在青料的使用上基本上使用国产料，和嘉靖朝一样以回青为主，发色纯正，特别是官窑器皿更是这样，民窑中有见灰淡者。

图 3-19　隆庆青花瓷标本·明代

十、万历朝

万历朝又是一个时间较长的历史时期，和嘉靖皇帝一样万历帝在位也是 40 多年。不过，万历皇帝长期不理朝政，吏制腐败，社会矛盾集聚，景德镇青花瓷的生产多少受到影响。在青料上进口料不见，主要以国产料为主（图 3-20）。早期依然延续前朝使用的回青，发色较为稳定、鲜丽、蓝中带紫，但在烧造上已有所松懈，晕散现象严重；晚期则又重新改用平等青、以及浙料等，青花发色灰暗，在青料上出现了较为严重的下滑。

图 3-20　万历青花瓷标本·明代

十一、泰昌朝

泰昌朝只有 1 年，时间过短，所以其青花瓷的生产基本上还是以万历为显著特征，我们在鉴定时应注意分辨。

十二、天启朝

明天启皇帝在位期间，景德镇瓷业继续发展，但显然衰败的迹象已经显现，产量减少、质量下滑（图 3-21）。青料使用主要延续前朝，创新很少，以普通的石子青为主，色泽不是很稳定，回青有见，但数量很少，呈蓝中泛紫色。由此可见，从青料上看天启朝衰落了。

图 3-21　天启青花瓷标本·明代

十三、崇祯朝

崇祯是明王朝的最后一个皇帝，十几年的时间大明王朝风雨飘摇，再也无法挽回，各地起义不断，景德镇瓷业基本停滞。最后，连景德镇也落入了起义军的手里，明王朝的瓷业生产受到了致命的打击，很难分辨出官、民窑的区别。在青料的使用上主要用石子青，发色灰暗，有时呈现翠色（图 3-22），明代青花钴料的使用进入低谷。

图 3-22　崇祯青花瓷标本·明代

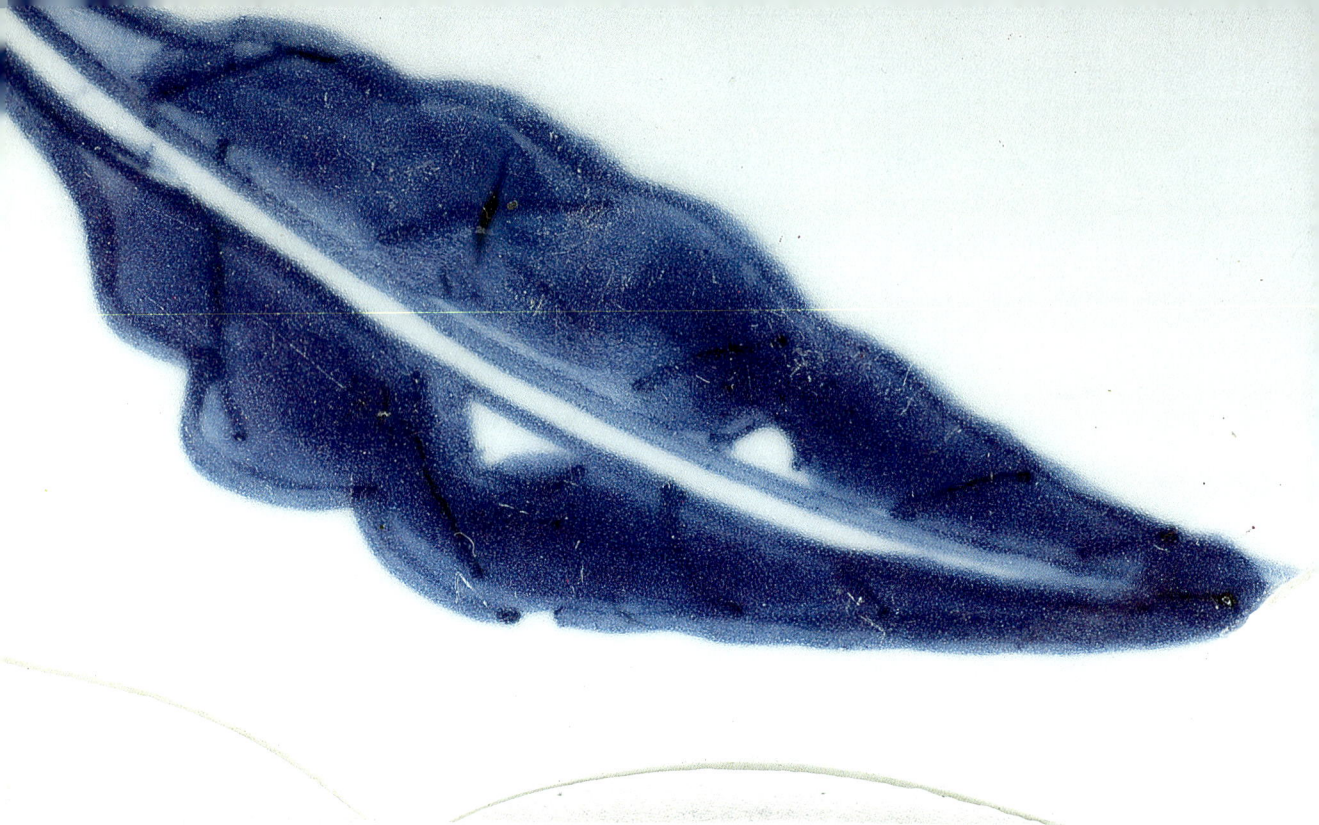

图 3-23　顺治青花瓷标本·清代

第三节　清代青花

一、顺治朝

顺治顺利入主中原，清朝的统治开始。顺治朝在十几年的时间里在景德镇建立了御窑厂，景德镇窑重新恢复了往夕的地位。但在青料的使用上顺治朝没有大的突破，主要使用浙料，发色灰暗，有时还呈现出墨蓝色，纯正蓝色不多（图 3-23）。由此可见，顺治朝青花青料与明代末期相比有所恢复，但显然未进入鼎盛阶段。

二、康熙朝

康熙皇帝在位时间比较长，在半个世纪还要多的时间里，清朝的政治、经济、文化全面发展，这一切都在促使着景德镇瓷业的复兴。景德镇窑经过缓慢的发展逐渐进入佳境，特别是在青料的使用上达到了相当水平，主要以国产料为主（图 3-24），使用青料多样化，如浙料和珠明料都常见。早期浙料发色不好，灰暗，但康熙中后期青花发色已是较为鲜丽，翠色很常见，完全掌握了国产料的发色（图 3-25），可以轻易地使国产料发出纯正蓝色，在发色上浓艳。

图 3-24 康熙青花瓷标本·清代

图 3-25 康熙青花瓷标本·清代

图 3-27 雍正青花瓷标本·清代

图 3-28 雍正青花瓷标本·清代

三、雍正朝

　　清雍正皇帝在位十几年，虽然时间不长，但由于雍正皇帝对于瓷业比较重视，景德镇瓷器继康熙时期继续发展，青花瓷出现了全面繁荣的局面（图 3-27）。在工艺上几乎达到了清代最高水平，官窑烧造件件都精美绝伦，精益求精。民窑瓷器的工艺水平也有所提高。在青料上雍正时期依然主要使用浙料，但烧造相当成熟，可以轻易烧造出各种色彩，蓝色纯正（图 3-28）。最喜仿永乐、宣德器。由此可见，雍正青花瓷在青料使用上已达至高境界。

图 3-29　乾隆青花瓷盒·清代

图 3-30　发色浓艳的青花瓷瓶·当代仿清

四、乾隆朝

　　乾隆皇帝在位时间比较长（图 3-29），且这一时期是清代政治、经济、文化全面繁荣时期，边疆无大的战事，社会稳定，民生发展，这些极大地促进了景德镇窑瓷业的发展。景德镇瓷业在乾隆时期达到全盛，成就极大，成为康乾盛世的象征。从青料上看，乾隆朝青花瓷在青料上主要使用国产料，将浙料发挥至极致，色彩稳定（图 3-30）。同样喜仿永宣青花，以显示其高超的工艺水平；但民窑青花中有相当一部分发色灰暗，但优者也很常见，鉴定时应注意分辨。

图 3-31 嘉庆青花瓷碗·清代

五、嘉庆至宣统朝

自清嘉庆朝开始，清代社会由盛转衰（图 3-31），景德镇窑青花瓷的生产也受到了极大的影响，虽然在外貌上还与康乾盛世相似，但在工艺水平上已经开始走下坡路。但这一过程是逐渐的，如在青料的使用上，嘉庆朝青花瓷料依然用浙料，呈现的色彩基本上稳定，发色纯正，蓝色依然占主流，但发色按黯淡和飘浮者依然有见，晕散也常见（图 3-32）。道光朝也是这样，但色彩深沉底线被突破，浅淡与深沉并存，大多数青料飘浮感明显。咸丰朝发色已极不稳定，青花飘浮不定。同治、光绪朝青料呈色不稳定，混沌感较强，青翠的效果荡然无存。而宣统朝在青料上在延续传统的同时，有的青花瓷干脆不使用传统青料进行烧造，出现了化学料，呈现出浓艳、泛紫的效果，异常衰落。

图 3-32 青花瓷碗标本·清代

第四章 瓷都景德镇窑

图 4-1 典型至正型青花瓷标本·元代

第一节 元代景德镇窑

　　元代后期景德镇终于在多次试烧的基础之上，烧制出了成熟的青花瓷器（图 4-1），时间是元至正时期。这个年代是 20 世纪 50 年代初，美国学者波普根据现藏于英国达维特基金会带有至正十一年（1351 年）题记的青花云龙象耳瓶，对照伊朗阿别尔寺及土耳其伊斯坦布尔博物馆收藏青花瓷进行深入研究得出的。他以此瓶为标准器，把凡是与此相类的青花瓷器都定为"至正型"（图 4-2）。

图 4-2 景德镇窑青花瓷标本·元代

这样就在传世的一批青花瓷中整理出一部分元青花瓷器来。青花瓷的烧制成功是元代景德镇瓷器的一大发明。青花瓷在刚刚烧制成功的时候主要外销，因此，初期的青花瓷在造型上显得硕大无比，胎体厚重，造型看起来都较为丰满，这主要是为了迎合西方世界的审美习惯，青花瓷的造型在元代的时候也主要是一些日用瓷器，如碗、盘、壶、杯等，这些器物的造型特别大，有的时候我们甚至都不可想象。如青花碗的一般口径在40厘米，胎壁厚度可以达到2厘米（图4-3）。如此大的碗在其他时代是很少见的，但元青花碗就是这样，估计是为了长途运输的安全性和迎合国外人的审美习惯。不过这一点还是有很多收藏者不知道，拿着一个很轻薄的明代瓷碗到处给人看，说"你看这像不像元青花"。这应该算是缺乏一定的常识，读者在赏玩元青花碗的过程中要注意这一点。以上就是元代青花瓷在造型方面的一些基本特征，我们在鉴定时一定要细心体会。

图4-3　典型至正较厚胎青花瓷标本·元代

从装饰上看，元青花的装饰异常的繁杂，主要以图案纹饰为主，它的装饰风格完全抛弃了传统，是一种大胆的尝试和革新。简单的说就是将青花瓷的胎体变成了一张绘图的宣纸（图4-4），画家在上面可以自由地挥毫泼墨。"而青花瓷属釉下彩绘，这样瓷画就被真空封闭在透明釉之下，永远不用担心会被腐烂变质，且不畏风雨、不怕潮湿、不阻碍观赏。正是青花瓷所具有的这些优点，使许多画家愿意将自己的力作留驻于青花瓷之上"（姚江波，2002）。由上可见，在青花瓷上绘画在当时已经成为一种时尚（图4-5），而实际上青花瓷的巨大成就之一也

图4-4　如同宣纸上绘画一样的青花纹饰图案·元代

就是将中国书画艺术引入到瓷器上来，这是中国人的一大创举。据考证，"元朝政府机构在将作院所属的浮梁瓷局和画局，集中了一批画家专门为元青花作画"（张浦生，1998）。元青花瓷器上的瓷画内容大多是人们熟悉的历史故事和戏剧人物，如"吕仙图""萧何月下追韩信""诸葛亮三顾茅庐""周敦颐爱莲图""明妃出塞""尉迟恭单鞭救主""薛仁贵阵营""蒙恬将军点兵"等。虽未落款，但从"画者不染，染者不画"可以看出，决不是一般工匠所画，且分工极细，每一幅的背后都有故事、成语、典故作为支撑。如：周敦颐爱莲图实际上是介绍了周敦颐这个人，寓意"出淤泥而不染"。古瓷器绘画艺术就是这样为人们的所思所想，将人们情感与希望融入到古瓷器之上。正是因为这样才封存了大量的历史信息。现在通过研究瓷画，我们也可以揭开尘封的历史，看到当时人们在绘画艺术上的成就，以及当时人们的政治、经济、文化、观念等方面的内容。由此可见，青花瓷的纹饰已经不再是简单的刻划纹，而是可以随心所欲地进行各种题材绘画的纹饰。从此，青花瓷在装饰上的成就在所有的瓷器中占据了首位，青花瓷也开始以纹饰来取胜。总之，青花瓷的烧制成功使得大部分古老的瓷窑场都相形见绌，景德镇也由此成为中国的瓷都，青花瓷以其独有的魅力登上历史舞台。

图 4-5 元代时尚青花瓷标本·元代

第二节　明代景德镇窑

　　明朝政府有意识地发展了在元代以来就有瓷器烧造基础的景德镇窑（图4-6），使其成为明代的官窑。从此景德镇这个名字就与瓷器联系到了一起，成为中国的瓷业中心，代表着中国古瓷器的最高烧制水平。青花瓷在进入明代后，以前所未有的速度迅猛发展，基本将其他传统的古瓷器挤出了古瓷器市场。这个时候的青花瓷已经不是以出口为主了，而是以国内销售为主。淡雅的青花受到了人们的青睐，明朝政府也特别重视对于青花瓷的生产。郑和7次下西洋，都带回来了"苏泥麻青"料（图4-7）。进口料色彩浓艳，虽有晕散现象，但显然控制在可以接受的范围之内，纹饰布局繁密，但层次分明，线条流畅而刚劲，使得明代永乐、宣德时期的青花瓷在烧造上达到了顶峰，再也没有哪个时代的青花瓷能超越永宣时期了。下面我们就以宣德青花瓷为例来看一看：

图4-6　洪武朝青花瓷标本·明代

图4-7　"苏泥麻青"进口料青花瓷碗腹·当代仿宣德

图4-8　建文青花瓷碗标本·明代

图4-9　"成化年制"款青花瓷碗·明代

（1）从造型鉴定。明代青花瓷的烧制日臻成熟（图4-8），特别是永宣时期的青花瓷烧造技术达到了顶峰。宣德以生活用品、酒器为主。如碗、盘、罐、花口钵、双肩扁壶、靶杯、靶盏、耳杯、梅瓶等都很常见，大小不一，器高在4～60厘米之间，敦实古拙，线条圆浑柔和。与明初洪武制品相比，胎体变薄，有秀、巧、轻、薄感；底足未经打磨，手感粗糙，有棱角，俗称"月亮弯"，做工精细（图4-9），露胎处有火石红，大器为砂底，小器底施釉；胎釉结合良好，小鸟食罐为覆烧，口沿无釉。这些是宣德青花瓷在造型上的鉴定要点。

图4-10　进口"苏泥麻青"料青花瓷碗·当代仿宣德

图4-11　色泽深沉进口料青花瓷标本·当代仿宣德

（2）从青料上鉴定。宣德用进口的"苏泥麻青"（图4-10），发色浓艳，呈蓝色，浓淡层次分明，在青料浓厚的部分还会出现自然形成的铁锈状黑斑，俗称"铁锈疤"，下凹深入胎骨；釉质滋润，色泽深沉，地釉泛青（图4-11）。其种类大致有蓝地青花、黄地青花、淡描青花、青花斗彩，宣德首创青花浮雕。

图4-12 花卉纹青花瓷标本·当代仿宣德

（3）从纹饰上鉴定。宣德多缠枝花、折枝花（图4-12）。有莲花、牡丹、山茶、葡萄、石榴、栀子花、灵芝、香草龙、龙穿花、格子锦朵花、卷草、焦叶、海水、花瓣式曲折纹、连续回纹、席纹、如意云头等。画法是：先用笔勾勒出图案的轮廓，然后填彩。由于在涂画时多次蘸料，线条出现浓淡不一的笔触，且有自然晕散现象。宣德青花瓷以纹饰取胜，线条粗犷，立意清新，以写意为主，单线平涂，自然生动、有力（图4-13），多用实笔，勾染结合，纹饰繁密，在器物上画得很满，纹样工整。龙嘴翘如猪嘴，须上翻，身变粗；香草龙常口衔灵芝，尾做卷草状；盘中心画犀牛望月或一条鱼；莲花多为双边莲瓣，均为宣德青花瓷在纹饰上的重要特征。

图4-13 自然生动宣德青花瓷碗·明代

图4-14　官窑青花瓷碗·当代仿宣德

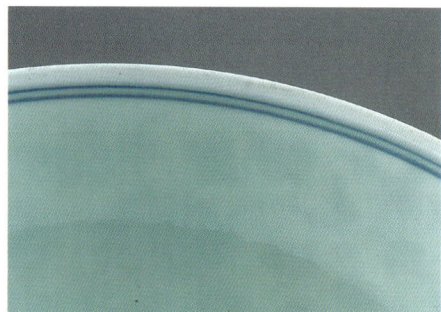

图4-15　工艺精湛宣德青花瓷碗局部·当代仿宣德

（4）从落款上鉴定。宣德青花瓷无一例外全部有落款。帝王年号款于宣德年间开始盛行，为"大明宣德年制"（图4-14）。釉底器物为底心书款；砂底器和小鸟食罐落款于肩部、侧面或折沿下。多用钴料书写，第一笔犹深；排行分六字三行和六字二行；单圈六字二行，双圈、无圈四字二行款为楷书，双圈款为篆书款。官款以制字为多，只有极少数用造，"德"字的"四"与"心"紧靠。鉴定时应注意分辨。

由上可见，明代青花瓷的鼎盛，几无缺陷，在工艺水平、做工、青料、纹饰、款识等诸多环节都达到了最高水平（图4-15）。这也使得永宣青花瓷成了景德镇窑的标杆。在宣德之后的各朝青花瓷水平无疑一直处于下降的趋势，如正统朝、景泰朝、天顺朝等是这样，成化朝、弘治朝、正德朝、嘉靖朝、隆庆朝、万历朝、天启朝等都是这样（图4-16），至崇祯时期景德镇窑的烧造已衰败到极点，官、民窑的区别不是很明显，鉴定时应注意分辨。

图4-16　天启青花碗标本·明代

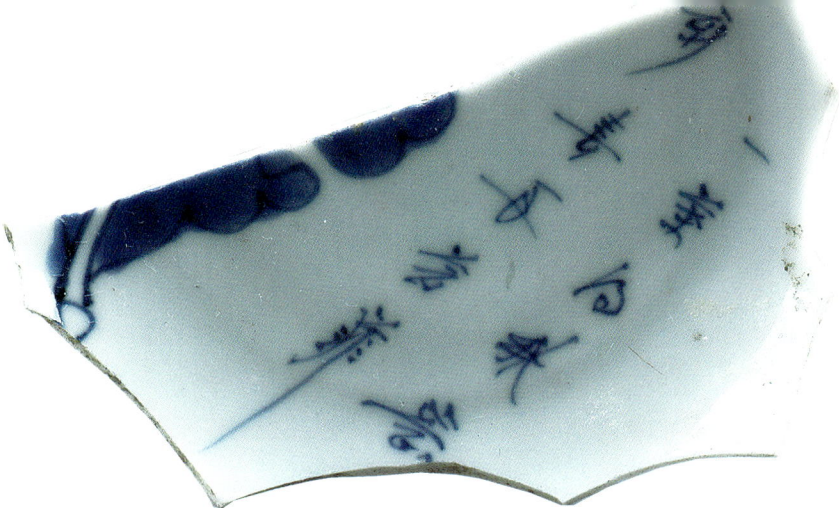

图 4-17　景德镇顺治窑青花瓷标本·清代

第三节　清代景德镇窑

　　清代瓷业在明代景德镇制瓷业的基础上继续发展，景德镇瓷都的地位未受到影响，继续成为中国的瓷业中心（图 4-17），代表着中国古代瓷器烧造技术的最高水平。至康熙、雍正、乾隆时期，清代的制瓷业发展至鼎盛。从瓷器品种上看，创造了许多新的品种，如蓝地青花、黄地青花、淡描青花、青花斗彩、青花五彩、青花浮雕、青花玲珑瓷等都有见。不过实际上景德镇窑青花瓷在明末的黯淡直至康熙时期才得以彻底缓解，景德镇窑又一次呈现出复兴的迹象，如康熙朝青花瓷依然使用国产料，主要是浙料，但在青花呈色上同样艳丽，堪比永宣；雍正在青花瓷工艺上更为精湛，精致程度达到清代最高水平；乾隆时期景德镇窑青花瓷继续呈现出繁荣的局面（图 4-18）。但乾隆后期景德镇窑青花瓷在工艺上有所下降，从此一发而不可收拾，自嘉庆至清代宣统时期再未见过精品力作（图 4-19）。由此可见，景德镇窑从此再未能够重返辉煌。下面我们就以康熙、雍正、乾隆"三代"青花瓷为例来看一下清代青花瓷的辉煌。

图 4-18　景德镇窑乾隆青花瓷标本·清代

图 4-19　景德镇窑道光青花瓷标本·清晚期

一、康熙青花瓷

（1）从造型上鉴定。康熙早期有明末遗风，器物整器显得厚重，做工粗糙，露胎处常见火石红，底足打磨后呈泥鳅背状，手感滑润（图4-20）。康熙晚期胎土淘炼十分严格，胎体变薄，没有厚重感，且瓷化程度高，胎釉结合良好，故看上去细致坚硬。这些是康熙青花瓷在造型上的鉴定要点。

（2）从青料上鉴定。康熙早期用国产的石子青，发色灰暗，呈紫色（图4-21）；中期后使用浙料和珠明料，发色艳丽，呈蓝色，能分出浓淡层次，其种类大致有白地青花、豆花青花、青花加紫等。

图4-20 景德镇窑康熙青花瓷标本·清代

图4-21 景德镇窑康熙青花瓷标本·清代

图 4-22　景德镇窑康熙青花瓷标本·清代

　　（3）从纹饰上鉴定。康熙青花瓷前期仍有明代遗风（图 4-22），
采用了单线平涂，线条粗犷；而到了中期以后，在绘画上勾染并用，
线条流畅，细而有力，将绘画艺术完美地运用到青花瓷上来。其纹饰
内容主要有人物、花鸟、山水等，在器物上画得很满（图 4-23），且
题字和纹饰结合在一起，没有单独题字的器物。耕织图是康熙时期常
见的图案，从春种到秋收都有所表现。但是耕织图具有鲜明的时代特征，
最早出现在康熙三十五年，由宫廷画家焦秉贞所作。康熙五十年后才
由宫廷流入民间，并被应用于青花瓷上，因此耕织图只在康熙晚期以
后才出现。

　　（4）从落款上鉴定。康熙早期的落款较稚嫩似"童子体"，后期
的落款苍劲有力，与前期的"童子体"判然有别。康熙后期的落款，将"青"
里面的"月"中两横，上面一横竖写。另外，康熙青花瓷上还有许多
用图形作的款，如梅花、团龙、秋叶等；帝王年号款，官窑为"大清
康熙年制"，民窑用"造"。

图 4-23　景德镇窑康熙青花瓷标本·清代

二、雍正青花瓷

青花瓷最早出现在唐代，到明代青花瓷的烧造技术达到了顶峰，至清代开始走向衰弱，只是到了康熙、雍正、乾隆时期（图4-24），在工艺上又有了新的突破，特别是雍正青花瓷工艺水平极高，处于历代之最。因为雍正在位十几年，所烧制的青花瓷的数量有限，物以稀为贵，因此雍正青花瓷极具收藏价值和升值潜力，许多收藏者孜孜以求，其市场价格稳中有升。下面简单介绍一下雍正青花瓷器的基本特点。

（1）从工艺上鉴定。雍正青花瓷的成就极高，讲究精工细琢，露胎处洁白细润（图4-25），没有窑红出现，整个器物看上去很柔和。由于当时工艺水平极高，后代作伪者很难仿制出与其媲美的青花瓷。因此只要仔细观察青花的做工是否精细，就能辨别其真伪。

（2）从色泽上鉴定。雍正青花瓷色调浅淡，由于呈色不稳定，青花有晕散现象，而伪造的青花瓷往往通体一色（图4-26），没有浓淡层次的变化和晕散现象。

（3）从纹饰上鉴定。雍正青花瓷线条纤细而圆柔（图4-27），纹饰内容主要有折枝花果、缠枝花卉、八仙、双喜字图案等（图4-28）。人物画有麒麟送子、福寿三星等，并以男性为多；琴棋书画则以女性居多。从雍正早期开始，这些图案在整个青花瓷器上所占的面积逐步缩小，这是雍正青花瓷在纹饰鉴定上的重要特征。

（4）从胎釉造型上鉴定。从雍正开始，青花瓷的胎体开始变薄（图4-29），且厚薄均匀；胎质洁白莹润，胎釉结合良好，釉汁滋润，光泽度好（图4-30）。雍正青花瓷的器型多继承康熙时代的造型特点，新品种很少。另外，雍正时期的碗和盘都是大圈足。

图4-24　景德镇窑雍正工艺精湛的青花瓷标本·清代

图4-25　景德镇窑雍正青花瓷标本·清代

图 4-26　景德镇窑雍正青花瓷标本·清代

图 4-27　景德镇窑雍正青花瓷标本·清代

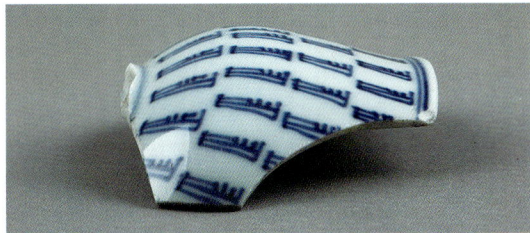

图 4-28　景德镇窑雍正青花薄胎瓷器标本·清代

图 4-28　景德镇窑雍正花卉纹瓷器标本·清代

图 4-30　景德镇窑胎质洁白莹润雍正青花瓷标本·清代

三、乾隆青花瓷

（1）从造型上鉴定。乾隆官窑造型规范，制作精细，整器线条占拙，无柔和感，大件器物不变形，厚薄均匀、工整；胎制较粗，做工精致（图4-31）；底足打磨后呈泥鳅背状，手感滑润。器形无所不包，大到桌子，小到掌中玩物、小鸟食罐应有尽有。多仿明宣德，且不留款。如果见到一件无款宣德青花瓷器，很有可能为乾隆时所仿制。清代青花瓷造型因循守旧，如盘、碗、樽等许多器物（图4-32），从康熙到宣统，款式、尺寸都从未改变过。乾隆青花瓷也是这样，《钦定皇朝礼器图式》"盛大花瓷碗，口径一尺一寸七，高五寸三分……"凡是不符合钦定尺寸的青花瓷，就要考虑是否伪器。

图4-31　景德镇窑乾隆青花瓷瓶·当代仿乾隆

图4-32　景德镇窑乾隆青花瓷天球瓶·当代仿乾隆

图 4—33　乾隆发色鲜翠青花瓷标本·清代

（2）从青料上鉴定。乾隆官窑用浙料，呈纯正蓝色，发色鲜翠（图 4—33），分不清浓淡层次。多仿宣德，人为在青花中点染铁锈状黑斑，与宣德青花中的铁锈斑相比显得浮躁，成色不稳定，且有晕散现象；釉底带有气泡，釉色白中泛青，所有器物施满釉。亦有部分仿成化，呈青色，发色淡雅平和；少量仿嘉靖，呈蓝紫色，发色鲜丽纯正。乾隆青花瓷以品种取胜（图 4—34），可谓百花齐放。其种类大致有青花矾红彩、外豆青里青花、外酱色釉里青花、哥釉青花、豆青釉青花。青花斗彩玲珑瓷、黄地青花、黄地青花加胭脂红、淡描青花填绿彩为乾隆年间首创。

图 4—34　景德镇窑豆青地粉彩青花瓷盘·清代

　　（3）从纹饰上鉴定。乾隆官窑仍有明代遗风，内容繁杂，勾染并用，线条挺直、生硬，画笔工整；纹样守旧、拘谨、呆板，缺乏生机（图4-35）；在器物上画得很满，部分仿成化，布局疏朗。其纹饰内容主要有缠枝、折枝水果、云龙纹、山水、人物、花卉以及各类吉祥图案，如三星图、百子图、荣升、福寿、百福、麒麟送子等。另外，乾隆皇帝喜欢将自己的诗词烧制于青花瓷上，为乾隆朝青花瓷在纹饰上的重要特征。

图4-35 纹饰缺乏生机乾隆青花瓷瓶·当代仿乾隆

（4）从落款上鉴定。乾隆朝的瓷器多伪托款，亦有少量仿成化、正德、嘉靖，所仿明款得心应手，真伪难辨。但与明款相比显得无力、拘谨，不及明款豪放，多用铁线篆写成，字迹工整纤细，娟秀无力，为馆阁体。帝王年号款较少，一般为"大清乾隆年制"（图4—36），书款规范，极少草篆。

图4—36 "大清乾隆年制"款识标本·当代仿乾隆

图4—37 康熙青花瓷瓶·清代

由上可见，清代景德镇窑在康熙、雍正、乾隆时期的辉煌成就（图4—37）。

但自乾隆后期几乎不见精品，景德镇对于青花瓷的烧造开始走向没落。嘉庆、道光、咸丰、同治、光绪、宣统等时期（图4—38），在工艺上也没有突破，主要生产一些日用瓷和陈设器，仿别朝甚多，粗制滥造，再也没有重返辉煌。

图4—38 发色较暗青花瓷标本·清代

第五章 造 型

第一节 口 部

　　中国古代青花瓷器常见的口部造型有敞口、侈口、直口、子母口、敛口、花口、大口、小口、盘口、喇叭口、撇口、不规则口等（图5-1）。由此可见，青花瓷器在口部造型的种类上的确是十分丰富。这与青花瓷作为生活日用器皿是分不开的。因为功能多样化必然从客观上要求其口部造型是各式各样的。再者，无论官、民窑青花瓷在造型上显然集合了许多陈设、装饰、把玩的功能，这些功能的存在与实用性并不矛盾，而是相得益彰，显然这也极大地促进了其更多口部造型的产生。

图5-1 敞口青花瓷盘·清代

图 5-2　侈口青花瓷盘·清代

　　从数量上看，青花瓷器口部造型数量特征明晰，主
要以敞口、敛口、侈口等大众化的口部造型为主（图5-2），
而喇叭口、小口、花口、不规则的装饰性口部造型的数
量明显少见。这与其功能性特征有着密切的关联。如青
花瓷碗、盘、碟等日用器皿在数量上规模庞大，而其代
表性的口部造型就是敞口、侈口等。

　　从形制上看，中国古代青花瓷器虽然口部造型众多，但在形制上仍然是以简洁明快为主。如敞口，顾名思义是指口部向外张得比较大；撇口有一个明显向外撇的过程。但一般情况下官窑要比民窑器在口部形制上简洁明快（图5-3）。由此可见，简洁明快显然成为了青花瓷器造型隽永的一个标志。从器形上看，不同的青花瓷器会选择不同的器物造型，如子母口的造型常会选择盒、杯等；瓶、壶等基本上以小口为主。从功能上看，青花瓷器众多的口部造型昭示了其在功能上的多元化，主要以实用和装饰功能的融合为主，实用、陈设、观赏、把玩的功能兼具，但对于官窑青花瓷器而言，装饰性的功能强一些，而民窑相对较弱。下面就让我们具体来看看青花瓷器的口部特征。

图5-3　官窑青花瓷碗·当代仿宣德

图5-4 敞口"福"字纹青花瓷盘·清代

一、敞 口

敞口顾名思义就是口部比较大，向外敞开，是元明清时期重要的青花瓷口部特征之一（图5-4），从数量上看十分多。元明清时期敞口的青花瓷增速很快，从时代上看是一个递增的过程，特别是明清时期随处都可以发现敞口的青花瓷。这与青花瓷对于口部特征多元化的不断追求是分不开的。敞口的造型并不单纯是一种造型，而是存在着相当程度的衍生，如微敞口、近敞口、敞口微撇等（图5-5）。从造型与功能的关系上看，敞口的造型首先是实用，这是敞口的青花瓷流行的主要原因。敞口便于盛放特别是有利于进食，既可以散热，进食时可利用空间也大。正是由于敞口的这些优点，人们在青花瓷产生之时首先选用的口部造型就是敞口。如在青花瓷中占数量最多的碗的口部特征就是以敞口为主。当然之后随着青花瓷功能的逐渐完善，不同的口部特征陆续产生，如一些不规则的口部造型也很有可能是敞口。

图 5-5　敞口较大"喜"字纹青花缸·清代

从种类上看，元明清时期的青花瓷各色品种都有，如青花矾红彩、外豆青里青花、外酱色釉里青花、哥釉青花、豆青釉青花、青花斗彩玲珑瓷、青花五彩、黄地青花、黄地青花加胭脂红、淡描青花填绿彩等都有见。从官、民窑上看，元明清时期基本官、民窑都生产敞口的青花瓷（图5-6），在特征上并不明确。可见敞口青花瓷在元明清时期十分流行。

图 5-6 敞口青花瓷盘·清代

图 5-7 侈口青花碗·清代

二、侈 口

侈口的青花瓷器常见（图 5-7）。我们来看浙江青田县前路街元代窑藏发掘的一则实例，元青花"盘分为二型：挖足盘。T311 ③：8,侈口"。

实际上像侈口的例子在元明清时期很常见，我们就不再赘述。侈口与敞口有些类似，人们容易将其混淆。侈口主要是指口一直向外延伸，与敛口相对应。我们知道，敛口是向内收，有的侈口的青花瓷同样是敞口，但有一些青花瓷是侈口却不是敞口，较典型的如花口等。另外，侈口的造型基本上都有一个比较明显向外侈的过程，这些关系我们首先要搞明白，这样有利于鉴定工作的开展。从时代上看，元明清时期有见，比例都比较大，但如果从绝对数量上看，元代最少，明清时期数量必然是猛增（图 5-8）。这与其青花瓷总量有关，元代青花瓷在总量上就比较少，而明清时期总量比较大。但实际上从比例来看侈口的造型都是比较常见，为青花瓷最基本的口部造型之一。从种类上看，侈口的青花瓷涉及种类繁多，没有过于复杂性的特征。如青花矾红彩、外豆青里青花、外酱色釉里青花、哥釉青花、豆青釉青花、青花斗彩玲珑瓷、青花五彩、黄地青花、黄地青花加胭脂红、淡描青花填绿彩等都有见，但从数量看上也没有过于规律性的特征。

图 5-8 侈口青花碗·明代

图 5-9 微敛口青花瓷盘标
本 · 清代

图 5-10 微敛口青花瓷标本 · 清代

图 5-11 微敛口青花瓷标本 · 清代

三、敛 口

敛口的青花瓷器常见。敛口指的是青花瓷口部造型有一个内敛的过程（图 5-9），有些明显，但有些不是很明显。从口部造型上看，标准内敛的口部特征有见，但青花瓷作为一种日常生活用具，在生产时不可避免较随意化，从而发生衍生。常见的有微敛口、近敛口、敛口较甚等，而无论是内敛较甚的敛口，或者是有内敛倾向的青花瓷，我们都将其称为敛口青花瓷。从数量上看，元明清时期敛口的青花瓷十分盛行，很多青花瓷的口部特征都是敛口，多为内敛较甚和微敛口的青花瓷。元明清时期敛口青花瓷在数量上不断增加（图 5-10），规模化的生产不断扩大，成为了人们日常生活中最常见的青花瓷口部造型。实际上这是对传统瓷器的一种继承和发展，因为敛口的造型在历史上一直都很流行，如在唐代越窑青瓷是这样，宋代龙泉窑青瓷也是这样。

从功能上看，敛口的青花瓷与其他口部特征的青花瓷在功能上几乎没有区别，口部造型的差别也不大。如与侈口青花瓷的差别无非是一个向外侈，一个向内敛的过程，但器壁在进行这些不同的变化之时，相当细微和缓慢。从视觉效果上看，几乎是看不到大的过渡。而之所以出现这种变化十分微小的现象，其原因自然是受功能所限，在青花瓷大的功能不改变的情况下，所有的口部特征变化都应该是以细微为主（图 5-11）。从种类上看，敛口青花瓷的种类十分丰富，青花矾红彩、青花五彩、黄地青花、黄地青花加胭脂红、淡描青花填绿彩等不同品种青花瓷上都有见，鉴定时应注意分辨。

四、花 口

元明清时期花口青花瓷比较常见（图 5-12），是这一时期重要的口部特征之一。是元明清时期追求器物精致程度的产物，也是一种极为传统的造型。在东汉六朝时期青瓷之上就有见，此时在青花瓷上也出现了，就是将青花瓷的口部做成各种花的形状。常见的种类有莲花、葵花和一些不知名的花卉等，可谓是种类繁多，争相斗艳。这些花卉的表现形式有很多种，有的犹如盛开的花朵、有的是较为写实，如莲花、葵花、菱形花等，使人们的视觉受到了极大的冲击。这类花口青花瓷受到了人们的热捧。从数量上看，元明清时期发现不少，当然相对来讲，元代较为少见，明清时期数量和种类迅速增加。可见明清时期花口青花瓷已经成为了一种重要的青花瓷口部特征。

从造型与功能上看，花口青花瓷的功能显然是为了突出青花瓷的美感（图 5-13），引起人们的视觉震撼，但同时要保持其实用性的功能，其造型显然是根据这些功能来进行的，如荷花青花瓷多是盛开的花瓣，荷花盛开的样子恰好与青花瓷实用的功能相吻合，而不可能使用含苞未放的花蕾，原因是这种造型与青花瓷的实用功能不符。其他花口青花瓷的造型大多都遵循这一规律，我们在鉴定时要注意分辨。从精致程度上看，元明清时期诸多花口青花瓷在精致程度上都非常好，可以说比同类产品要精致一些，原因就是装饰了花口的造型，与花口匹配。这一点无论从胎质、纹饰以及釉质等各方面都表现得非常好。不过，花口青花瓷普通甚至粗质者都有见。从流行阶层上看，花口青花瓷在元明清时期都很流行，宫廷之内、市井之中都有见。

图 5-12　花口青花瓷杯·清代

图 5-13　花口青花瓷杯·清代

图 5-15　微直口青花水池·清代

图 5-14　直口青花瓷瓶·清代

五、直　口

元明清时期直口青花瓷时常见到（图 5-14），我们来看一则实例，"青花瓷罐 1 件 (M1：13)。直口……底部见有'宣德年造'款"（南京市博物馆，1999）。这并不是一个特例，在元明清时期我们很容易能找到这样的例子。由此可见，在这一时期直口青花瓷还是较为流行。从数量上看，特别是明清时期最为常见。从造型与功能的关系上看，元明清时期的直口青花瓷在造型上主要是青花瓷的腹壁在上升到接近口部时比较直，以视觉为判断标准，而并非几何学上笔直的腹部。当然也有一少部分造型看起来比较标准，其他多数造型看起来不是很标准，而是以微直口的造型出现（图 5-15）。从种类上看，这一时期直口的青花瓷的种类比较丰富，青花矾红彩、外豆青里青花、外酱色釉里青花、哥釉青花、豆青釉青花、青花斗彩玲珑瓷、青花五彩、黄地青花、黄地青花加胭脂红、淡描青花填绿彩等都有见。而且在这些不同的品类之中，直口的青花瓷所占比例适中，特别是在明清时期的青花瓷中所占比例可能更大一些。总之，从种类上看，这一时期直口青花瓷的种类比较多，几乎涉及所有的青花瓷种类。从精致程度上看，元明清时期直口青花瓷在精致程度上特征较为模糊，或者是弱化，精致、普通、粗糙者都有见，没有过于明显的特征。从官、民窑上看，特征也比较模糊，官窑青花瓷中有见，民窑青花瓷中也十分常见。

图 5-16　方唇青花香炉·清代

第二节　唇　部

　　青花瓷唇部造型的种类比较丰富，常见的主要有圆唇、尖唇、尖圆唇、方唇、卷唇、折唇、平唇、厚唇、薄唇、敛唇、撇唇等（图 5-16）。但青花瓷在唇部造型上固定化的趋势较为明显。从造型上看，主要固定化到了尖圆唇之上，绝大多数青花瓷的唇部造型都是尖圆唇；从厚薄上看，主要以薄唇为主（图 5-17），厚唇在总量上所占比例很小。另外，在衍生性造型上表现也非常突出，如圆唇可以衍生成方圆唇、卷圆唇、近圆唇等。由此可见，青花瓷在唇部种类上的确是繁多。从形制上看，中国古代青花瓷唇部形制以简洁明快为显著特征，所有的造型看起来都是比较直观，没有过于复杂的情况。

　　从器形上看，不同造型的唇部造型会选择相应的器形，这一点对于青花瓷十分明确，如尖圆唇多出现在青花瓷碗、盘、盏等器皿之上（图 5-18），而在盆上出现的可能性几乎不见。从功能上看，青花瓷唇部造型在功能上的特征十分明确，主要以实用为主，兼具有装饰的功能。下面我们具体来看青花瓷在唇部造型上的特征。

图 5-17 薄唇青花瓷瓶·清代

图 5-18 尖圆唇青花茶盏·清代

一、圆 唇

　　元明清时期圆唇的青花瓷比较常见（图5-19）。青花瓷作为人们日常生活当中的进食器，圆唇的造型应该是最适宜于人的口唇特征，在口唇接触时，圆唇会使人有舒适感。从数量上看，元明清时期圆唇的青花瓷在数量上有一定优势。元代圆唇的青花瓷大量涌现，成为了元代最重要的青花瓷唇部特征之一。明清时期并没有进一步发展，从比例上来看随着唇部造型的增多，圆唇的比例实际上是下降了；从数量上看与元代相比急剧增加，成为了仅次于青花瓷尖圆唇的唇部造型（图5-20）。

图 5-19 圆唇青花瓷盘·清代

图 5-20 圆唇青花瓷盘·清代

图 5-21 圆唇青花瓷大盘·清代

　　从衍生性上看也非常强，常见的主要有圆侈唇、圆唇较薄、圆唇上翘、圆唇外卷、圆唇微外侈、圆唇微外卷、圆方唇、近圆唇等。由此可见，在这一时期圆唇的衍生性唇部造型相当丰富，这些衍生性唇部造型在总量上有一定规模，但在具体的数量上一般都不是很常见，如圆侈唇和圆唇外卷的青花瓷在元明清时期不是很常见。从品类上看，元明清时期圆唇青花瓷的品类十分丰富，青花斗彩玲珑瓷、青花五彩、黄地青花、黄地青花加胭脂红、淡描青花填绿彩等都有见，几乎是所有的青花瓷品类中都涉及了圆唇，而且每一个品类之中圆唇青花瓷在数量上都十分丰富。从精致程度上看，圆唇青花瓷在精致程度上特征不是很明确，精致、普通和粗糙的青花瓷上都有见（图5-21）。从官、民窑上看，这两个特征有相似之处，官、民窑都烧造有圆唇的青花瓷，之间并没有太大的区别。

图5-22　方唇青花瓷香炉·清代

二、方　唇

　　方唇的青花瓷有见（图5-22），只是数量比较少。元代方唇的比例比较大，明清时期方唇的青花瓷在数量上逐渐增加，但这显然与青花瓷总量有关，但从总量上看方唇的青花瓷还属于绝对的少数。从衍生性造型上看，元明清时期方唇的青花瓷在造型上比较复杂，常见的有方唇内折型、方圆唇型、斜方唇型等（图5-23）。这些造型我们可以看到都是以方形为主，但又不是规整的方唇，而是在方唇的基础上衍生出来的造型。从造型与功能的关系上看，方唇的青花瓷从舒适程度上看不如圆唇，但因为元明清时期的青花瓷多数壁比较薄，即使唇部为方形，再加之施釉的影响，其光滑程度亦然，并不影响口与青花瓷唇的接触，所以从造型与功能的关系上看方唇并不会对青花瓷的实用性发生实质性影响。

　　从方唇的青花瓷比圆唇在数量上要少得多这一点来看，事实上方唇的青花瓷已经受到到了其造型的影响，这可能主要是由方唇的青花瓷对于人们视觉所造成的强冲击而导致，是一种观念的因素在起作用（图5-24）。从品类上，看这一时期方唇的青花瓷品类十分丰富，青花五彩、青花斗彩、哥釉青花、豆青釉青花等都有见，但从诸多发掘出土的青花瓷来看，在各个品类中方唇青花瓷的数量较少。从精致程度上看，元明清时期方唇的青花瓷在精致程度上也是较为复杂，精致、普通、粗糙者都有见，但从种种迹象看主要还是以普通和粗糙的青花瓷为常见。从官、民窑上看，这一时期方唇的青花瓷在官窑青花瓷中有见，但主要以民窑瓷器所见居多。

图 5-23　方唇青花瓷碗·明代

图 5-24　方圆唇青花瓷缸·清代

三、尖 唇

元明清时期尖唇的青花瓷有见（图5-25），但从数量上看不是很多。

从具体的造型上看尖唇比较单一，没有其他更多衍生性的造型，这可能是因为尖唇的造型不太适合于人的口部特征。但从造型与功能的关系上来看，由于施釉的影响，所以尖唇的青花瓷会比较光滑，对于嘴唇也不会有太强烈的不适感，所以尖唇的青花瓷才得以产生，并有少量的生产（图5-26）。

从品类上看，元明清时期尖唇的青花瓷，如青花矾红彩、外豆青里青花、外酱色釉里青花、哥釉青花、豆青釉青花、青花斗彩玲珑瓷、青花五彩、黄地青花、黄地青花加胭脂红、淡描青花填绿彩等都有见，但数量比较少。

从精致程度上看，元明清时期尖唇的青花瓷在精致程度上通常非常好，主要以较为精致的青花瓷为主，粗糙的青花瓷也有见，但数量不是很多。从官、民窑上看，尖唇的青花瓷官、民窑都有见，特征不是很明显。

从流行程度上看，元明清时期尖唇的青花瓷虽然数量不是很多，但流行的区域比较广，各个地区都发现有尖唇的青花瓷（图5-27），在宫廷之内，在市井之中都有见，十分流行。

图5-25 尖唇青花瓷碗·清代

图 5-26　尖唇青花瓷盘·清代

图 5-27　尖唇青花瓷碗·清代

四、尖圆唇

元明清时期尖圆唇的青花瓷比较常见（图5-28）。尖圆唇的唇部造型是尖唇与圆唇的结合。尖唇不是很适合人们的口唇结合的，因此在青花碗不最常见，尖唇的青花瓷显然是比较挺拔俊秀，在造型上有一定的优势；而圆唇的青花瓷有着最好的口唇舒适度。但圆唇的造型看起来比较笨拙，而尖唇的造型比较单薄，那么两种造型的结合则冲淡了这一切。尖圆唇兼顾了青花瓷唇部造型的实用性和俊美性，美不胜收（图5-29），在元明清时期的青花瓷上都相当的流行。从数量上看，元代尖圆唇的造型有见，但数量还不是很多，明代尖圆唇的数量增速很快，达到了相当的规模。从清代出土的青花瓷中，我们随时都可以发现尖圆唇的造型，清代尖圆唇的造型数量进一步增加（图5-30），由此可见，尖圆唇的造型在清代达到了一个顶峰，成为青花瓷上重要的唇部特征之一。

图5-28 尖圆唇青花瓷瓶·清代

图5-29 尖圆唇青花瓷盘·清代

图5-30 尖圆唇青花瓷盘·明代

　　从种类上看,元明清时期尖圆唇的造型比较独立,衍生性不是很强。实际上尖圆唇是一种标准(图5-31),它的造型不允许衍生,因为尖圆唇本身就是一种衍生性造型, 已经达到了其最为合理性的状态,一旦再次衍生必然会破坏尖唇和圆唇结合的紧密程度。这一点我们在鉴定时应注意分辨。从品类上看,这一时期尖圆唇的青花瓷十分丰富,青花矾红彩、外豆青里青花、外酱色釉里青花、哥釉青花、豆青釉青花等都有见,各个品类的青花瓷数量也都十分丰富。从精致程度上看,元明清时期青花瓷在精致程度上比较复杂,精致、普通、粗糙的青花瓷都有见,没有过于规律性的特征(图5-32) 。从官、民窑上看,无论官窑还是民窑,基本上在唇部造型上都是以尖圆唇为显著特征。

图5-31 青花瓷碗·明代

图5-32 尖圆唇青花瓷盘·清代

图 5-33　唇部微卷青花碗·明代

图 5-34　卷圆唇青花水池·清代

图 5-35　普通卷唇青瓷杯·清代

五、卷　唇

　　元明清时期卷唇的青花瓷有见（图 5-33）。所谓的卷唇其实就是青花瓷的唇部有向上卷的趋势。但对于青花瓷而言，上卷的幅度并不是很大，所以并不影响青花瓷的实用性，特别是青花瓷作为进食器的需要。从衍生性上看，卷唇的青花瓷并不都是标准的造型，而多表现出衍生性，如卷唇、唇稍卷、卷圆唇等造型都常见（图 5-34）。但从数量上看，虽然元明清时期有见，但数量比较少。从品类上看，元明清时期卷唇青花瓷的品类十分丰富，青花矾红彩、外豆青里青花、外酱色釉里青花、哥釉青花、豆青釉青花、青花斗彩玲珑瓷、青花五彩、黄地青花、黄地青花加胭脂红、淡描青花填绿彩等都有见，但各个品类当中的数量比较少，有的甚至少到了极点，并不是很容易就能找到卷唇的青花瓷。从精致程度上看，这一时期卷唇的青花瓷与精致程度的关系不是很密切，精致、普通和粗糙的青花瓷都有见（图 5-35）。从官、民窑上看，元明清时期官、民窑基本上都有生产，并没有过于规律性的特征。

六、厚　薄

元明清时期青花瓷唇部造型在厚薄上特征略显复杂，可以说是厚薄兼备（图5—36）。总体上看青花瓷的唇部还是具有相当的薄度，因为从时代上看，只有元代唇部基本都比较厚，明清时期唇部较厚者有见，但在数量上已经变成了偶见。明清时期主要是以薄唇为主，这与明清时期青花瓷在整个胎壁上的变薄有关系，青花瓷在唇部上厚薄变化上的特征基本是一致的。从唇部种类上看，元明清时期厚唇的青花瓷主要以圆唇最为多见，另外像方唇、平唇等唇部等都常见（图5—37）；而薄唇主要以尖唇和尖圆唇的造型为主。胎壁薄在尖唇的造型中较为典型。从品类特征上看，元明清时期青花瓷在品类特征上较为丰富，哥釉青花、豆青釉青花、青花斗彩玲珑瓷、青花五彩、黄地青花、黄地青花加胭脂红、淡描青花填绿彩等品种都有见。

另外从官、民窑和流行程度上看，这一时期青花瓷的唇部的厚薄等特征在官、民窑上没有太大的变化（图5—38）。但相对而言，官窑瓷器在厚度上显然比民窑略薄一些，鉴定时应注意分辨。

图5—36　厚唇青花瓷盏盖·清代

图5—37　薄唇青花瓷碗·清代

图5—38　厚唇青花瓷香炉·清代

图 5—39　外撇沿青花瓷碗·明代

第三节　沿　部

中国古代青花瓷沿部种类十分丰富，平沿、折沿、敞沿、卷沿、敛沿、撇沿、花口沿等都有见，只是在数量上有不同。衍生性造型比较强（图5—39），如卷沿可以分化为近卷沿、微卷沿、卷沿较甚等；折沿的造型可以分为微折沿、平折沿、宽平折沿、窄平折沿等，其他的沿部特征基本上都可以衍生，从而使青花瓷的沿部造型变得规模庞大，犹如群星璀璨，将器物装点得精美绝伦。

从数量上看，青花瓷沿部造型在数量上无均衡性可言，各种沿部造型，如平沿、折沿、花口沿等在比例上各不相同，存在着较大差异，我们在鉴定时应注意体会。

从形制上看，简洁明快（图5—40），不用思考仅凭借视觉就可以判断，如平沿就是平衍的沿部；折沿就是沿部明显发生了转折，如果是很复杂的造型，反倒有作伪的嫌疑。

从器形上看，不同的青花瓷沿部会选择相应的器形，如平沿常会选择香炉、盆等器物造型（图5—41）。

从时代和官、民窑上看并无太大差别。从功能上看,特征十分明晰,主要是实用与装饰的结合。但不同青花瓷根据具体功能的不同在沿部造型上,实用与装饰结合的紧密程度不同,这一点是显而易见的。如官窑器皿由于是宫廷使用,所以在实用与装饰性的结合上通常情况下都是十分紧密,可以说是完美地融合在一起,而民窑瓷器在结合程度上有时则表现出结合较差的情况,这些我们在鉴定时应注意分辨。

下面我们具体来看:

图 5-40 简洁明快六棱形外撇沿青花瓷瓶·清代

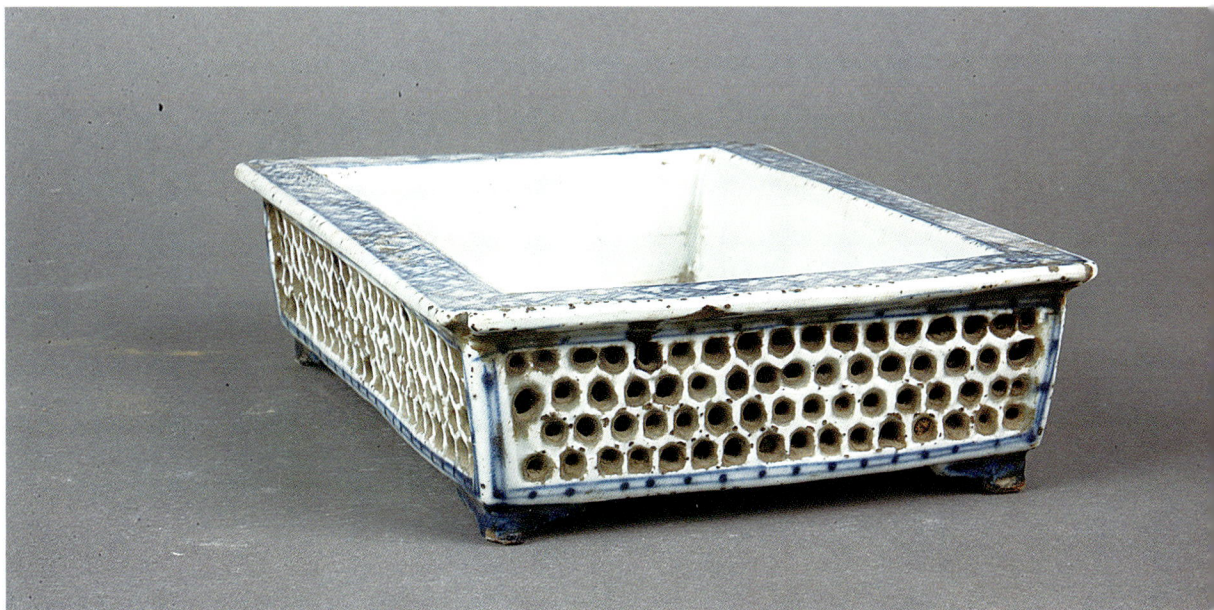

图 5-41 平沿青花水池·清代

图 5—42 平沿
青花瓷碗·明代

一、平 沿

　　平沿的造型在青花瓷中常见，从时代上看没有过于明显的特征，各个时期都有见。从数量上看，主要以元明清时期为多见。从地域上看也无明显的特征，各地基本上都有出土。平沿的造型顾名思义就是平坦的沿部，这样的沿部比较直观，人们可以很直接地感觉到。平沿也只是视觉上的盛宴，真正几何意义上的平沿在青花瓷之上可能不是很多。再者平沿的造型除了要靠平衍来支撑之外，在造型上还有一个重要的特征，就是沿要有一定的宽度，因为如果是很窄的沿面，平沿就很难被凸显出来，所以平沿与宽沿有着千丝万缕的联系，也就是说绝大多数的平沿在造型上同时也有可能是宽沿，这一点在鉴定中要注意分辨。当然，平沿的形制也是一个相对的概念，它所囊括的沿部特征有限，如厚沿、折沿等都很容易出现平沿的特征（图 5—42）。特别是折沿，许多器皿在平沿的同时也往往伴随着折沿，不过有很多沿部特征是平沿所不能囊括和无缘的，如卷沿、撇沿等，通常情况下很少见有平沿的现象。

图 5—43 平沿青花瓷瓶·清代

图 5-44　平沿青花瓷香炉·清代

　　平沿有着丰富的衍生性造型，当然首先这与其不是真正几何意义上的平沿造型有关。有的时候在造型上发生偏移也是很正常的事情，如近平沿、微平沿、平沿外折、窄平沿、宽平沿、平沿微折等。青花瓷中平沿的造型可以说多见，如香炉、钵、盆、瓶、壶、水池等都有见（图 5-43），但青花瓷中平沿的器物造型特征还是相当明显，虽然以上几种器物造型都有见平沿的造型，但从数量上来看却有着天壤之别。通过对大量实物的观测，盆的数量应该最多；但在香炉、瓶等器皿中也都有见。对于不同器物，青花瓷平沿在具体的造型上自然也不同，如青花瓷盆的造型多为宽平沿，而青花瓷碗上的平沿则多数为窄平沿，自然香炉的造型也多是的宽平沿（图 5-44）。综上所述，我们可以看到青花瓷上的平沿造型主要是根据具体的器形而言，并不存在一成不变的规律性特征。那么，这样所有的鉴定依据都变成了相对的概念，所以这就要求我们在鉴定中要能够深刻理解这，举一反三地看待问题。从时代上看，元明清时期我们都发现了一定数量各类平沿青花瓷造型。平沿的青花瓷在功能上的特征并不复杂，主要是以实用和装饰的结合为主，如大量瓷盆上所使用的平沿，这显然是为了实用的需要，如在上菜时手端拿得方便，而不必担心被烫着，但在同时平沿的造型自然也拥有装饰的功能，如在香炉上使用，除了实用之外，夸张的宽平沿更为显著的功能可能就是为了突出其造型之美。

图 5-45　折沿青花瓷碗·清代

图 5-46　微折沿青花瓷碗·清代

二、折 沿

　　折沿是青花瓷中最为常见的造型（图 5-45），不过从总量上看并不是很多，只是涉及的器物种类比较多而已。从时代上看，元明清时期显然都有见。折沿的造型比较直观，人们的视觉可以很直接观察到，而并非真正意义上的折沿，主要是视觉盛宴。在衍生造型上比较丰富，如斜折沿、平折沿、折沿外卷口、折沿下斜、宽平折沿、小折沿等都有见（图 5-46）。青花瓷中涉及器物造型众多，如碗、炉、盘、灯、鼎、钵、瓶、唾壶、盏等都常见。青花瓷器皿折沿的功能十分明确，主要以功能为主，兼具实用与装饰性的结合，二者依托，互为支撑，鉴定时应注意分辨。

三、敞　沿

　　敞沿的造型在青花瓷中有见（图 5—47），从时代上看，青花瓷鼎盛的元明清时期都有见。敞沿的造型并不复杂，指的就是沿部向外敞，并没有尺寸上的标准，看起来非常直观，多是人们视觉的盛宴，这一点我们应能理解。敞沿更是一个概念，从具体造型上看，敞沿的造型囊括众多，如花口沿、撇沿、薄沿、厚沿、敛沿、卷沿、折沿、平沿等（图 5—48）。从衍生造型上看，敞沿的衍生性造型众多，可以说每一种敞沿的具体造型都有其可衍生的成分，如沿微敞、折沿微敞、厚沿微敞等，造型不复杂，都是在敞沿基本造型上的微小变化。青花瓷敞沿的器物造型常见，但种类比较少，基本上以碗、盘、碟等为主，其他器皿也有见，不过多为偶见。从时代上看，以元明清时期为主要特征，其他时代也有见。在功能上，敞沿的造型十分古老，在青花瓷上只是昙花一现，显然是一种尝试而已。

图 5—47　敞沿青花瓷碗·清代

图 5—48　平折敞沿青花瓷碗·明代

图 5-49 沿微向上卷青花六棱瓶·清代

图 5-50 沿微卷青花瓷标本·明代

图 5-51 沿微卷青花瓷碗标本·清代

四、卷 沿

卷沿是青花瓷中最为常见的造型之一，墓葬和遗址之中都有出土（图 5-49）。

从时代和地域上看，卷沿的青花瓷器在数量上表现得十分均衡，基本上元明清时期和各地都有见。卷沿的造型比较直观，非常明显，即使非专业人士也可以十分清晰地判断卷沿，就是沿部有一个向下卷的过程。卷沿同样是一个比较大的概念，如花口沿、薄沿、厚沿、敞沿等（图 5-50），基本上都可以成为卷沿的一种。卷沿在衍生造型上也是比较丰富，这与其不是真正几何意义上的敛沿造型有关，如微卷沿、唇沿外卷、盖卷沿、弧卷沿、小卷沿等都常见。卷沿是青花瓷中最为常见的器物造型之一，如碗、注、壶、玉壶春瓶、碟、盘、瓶等器物造型之上都常见（图 5-51）。

从主流造型上看，青花瓷卷沿的造型并不明显。如青花碗卷沿的造型就不是很常见。青花瓷卷沿的造型在功能上十分明确，以实用功能为主，兼具有装饰的功能。

第四节 腹 部

中国古代青花瓷在腹部特征上种类繁多，常见的主要有鼓腹、折腹、敞腹、球形腹、曲腹、深腹、圆腹、直腹、斜腹、弧腹、浅腹等（图 5-52）。在衍生性上也十分丰富，以鼓腹为例，可以衍生出微鼓腹、近鼓腹、小鼓腹、大鼓腹、弧鼓腹、棱形鼓腹等，几乎每种腹部造型都不同程度地衍生出一些新的造型。

从数量上看，青花瓷众多，腹部特征并不均衡，从发掘出土和传世的青花瓷来看，主要以鼓腹的造型为主，这一点是显而易见的。

从形制上看，中国古代青花瓷腹部造型以简洁为主（图 5-53），如瓜棱形腹就是非常写实，很直观，没有过于复杂性的造型，这一点我们在鉴定时应注意分辨。

从器形上看，不同的腹部造型有着不同的器物造型，如青花瓶的腹部只能是深腹，浅腹的可能性几乎没有。

从功能上看非常明确，主要以实用为主，兼具装饰性，实用与装饰结合的紧密程度主要视功能的不同而变化。

下面我们具体来看青花瓷在腹部造型上的特征：

图 5-52 弧腹青花瓷盘·清代　　　　　图 5-53 微折腹青花瓷碗·清代

图 5-54 鼓腹青花瓷盖罐·清代

图 5-55 鼓腹青花瓷碗·清代

一、鼓 腹

　　鼓腹元明清时期十分常见（图 5-54），是青花瓷腹部的主要造型之一，数量庞大。从造型与功能的关系上看，鼓腹的造型最贴近于青花瓷的实用功能。因为腹部所占据青花瓷面积应该是最大的，所以青花瓷腹部的造型不但会决定青花瓷造型主流特征，同时也影响到青花瓷实用功能（图 5-55），而鼓腹的青花瓷在盛物功能上显然是达到了较大化的设计。但从具体的造型设计上，元明清时期的青花瓷鼓腹设计比较复杂，如微鼓腹、大鼓腹、鼓腹内收、下部鼓腹等都有见，由此可见其衍生性很强。

从精致程度上看，这一时期鼓腹的青花瓷具有普遍性的特征（图5—56），无论是精致、普通还是粗糙的青花瓷中都有鼓腹现象。从流行程度上看，几乎囊括当时整个中国。品类上涵盖诸多青花瓷，如青花矾红彩、外豆青里青花、外酱色釉里青花、哥釉青花、豆青釉青花、青花斗彩玲珑瓷、青花五彩、黄地青花、黄地青花加胭脂红、淡描青花填绿彩等，而且分布较为均衡。从流行阶层上看，无论宫廷还是市井之中都有见（图5—57）。鼓腹显然是元明清时期青花瓷腹部的基本造型。

图 5—56 鼓腹青花瓷碗·明代

图 5—57 鼓腹青花瓷罐·清代

二、折 腹

元明清时期折腹的青花瓷都有见（图5-58），但数量不是太多，基本上是以偶见的形式出现。其实，折腹的确是比较大胆的创意，腹部在下垂的过程当中突然折下，这样的造型可以给人们的视觉震撼，突显了青花瓷的俊秀。如清代中晚期流行的折腹碗就是这样，是元明清青花瓷造型追求多样化的体现。不过从实际情况来看，真正折腹的青花瓷不是很多，多数青花瓷在腹部特征上表现出的只是微折腹的状态（图5-59），折腹的弧度比较小。

由此可见，在衍生性造型上显然是比较丰富，折腹的青花瓷有以造型取胜的特征。也可见，元明清时期折腹的青花瓷造型与功能关系兼顾得非常好。

图5-58 折腹青花瓷碗·清代

图5-59 微折腹青花瓷碗·清代

图 5-60　折腹青花瓷碗·清代

从品类上看，这一时期折腹的青花瓷各种品类都有见，如外豆青里青花、外酱色釉里青花、哥釉青花、豆青釉青花、青花斗彩玲珑瓷、青花五彩、黄地青花、黄地青花加胭脂红、淡描青花填绿彩等。但这只是从理论上讲，实际情况是由于这一时期折腹的青花瓷数量比较少，因此我们在市场上看到很多这样的青花瓷时要慎重对待。

从精致程度上看，元明清时期折腹的青花瓷多以精致为主；普通者次之；很少见到粗糙的青花瓷是折腹的造型，主要原因是造型难度略大。

从官、民窑上看，该时期折腹青花瓷特征不是很明显，官、民窑中都有见（图 5-60），并不存在过于规律性的特征。

图 5-61 弧腹青花瓷碗·清代

三、弧 腹

元明清时期，弧腹的青花瓷经常可以看到（图 5-61）。弧腹即腹部有弧度的青花瓷，弧度的大小有一定的区别。从种类上看，有弧腹较深的青花瓷、也有微弧腹的情况。总之，很多青花瓷在弧腹上的特征都有微小的差别。

从数量上看，弧腹显然是元明清时期青花瓷腹部特征的主流，很多青花瓷的腹部都是弧腹。总而言之，弧腹的概念显然主要以视觉为判断标准，是一场视觉的盛宴（图 5-62）。弧腹显然是元明清时期青花瓷在不断追求造型多元化上的体现，所以其他的腹部造型也是层出不穷。

从造型与功能的关系上看，各种弧腹的青花瓷在造型上必须适应于它的功能，弧腹的青花瓷并不像鼓腹那样为了盛放更多东西将腹部高高鼓起，也不像敛腹那样为了造型异样化而收紧腹部，而是比较中庸，将青花瓷的腹部制作得很普通，所以弧腹造型的青花瓷量比较大。

从精致程度上看，元明清时期弧腹的青花瓷在精致程度上表现得比较多样化，精致、普通、粗糙兼具（图 5-63）。

从官、民窑上看没有规律性的特征，无论官、民窑都有烧造。

图 5-62 弧腹青花瓷碗·明代

图 5-63 弧腹青花瓷碗标本·清代

四、浅 腹

元明清时期浅腹的青花瓷比较多见。浅腹是一个腹部深浅的概念，但这一概念不是绝对的，就是我们没有办法确定一个尺寸（图 5-64），而都是根据青花瓷本身造型的大小，从视觉的效果上直接作出判断。

从衍生造型上看，浅腹青花瓷在造型的种类上比较复杂，从理论上讲任何腹部造型都有可能衍生，如浅弧腹、浅斜腹、鼓腹较浅等（图 5-65）。从数量上看，元明清时期浅腹的青花瓷有一定的量，但如果与整个青花瓷的数量相比，浅腹只是一个普通的造型，占不到主流的地位。从造型与功能的关系上看，浅腹的青花瓷实质在造型上减弱了其功能的特征，盛物较少，但浅腹的青花瓷显然漂亮了许多，起码显得与众不同，实际上这也是浅腹青花瓷在功能上的本质特征，就是装饰性的功能增强。

从精致程度上看，这一时期的浅腹青花瓷在精致程度上特征异常鲜明，精致、普通、粗糙者都有见。从官、民窑上看，元明清时期浅腹的青花瓷在官、民窑上的特征并不明确（图 5-66），官、民窑中都有见，鉴定时应注意分辨。

图 5-64 浅腹青花瓷盘·清代

图 5-65 弧腹较浅青花瓷盘·明代

图 5-66 浅腹青花瓷盒·清代

图 5-67　深腹青花瓷杯·明代

图 5-68　深腹青花瓷瓶·清代

五、深　腹

元明清时期深腹的青花瓷十分常见（图 5-67）。由于规模化生产，深腹几乎成了元明清时期最为流行的青花瓷造型之一。深腹的青花瓷实际上概念相当宽泛，几乎包含了所有的腹部特征，但并不是所有的造型都适合于深腹。

从品类上看，元明清时期深腹的青花瓷各色品种都有，常见的如青花矾红彩、外豆青里青花、外酱色釉里青花、哥釉青花、豆青釉青花、青花斗彩玲珑瓷、青花五彩、黄地青花、黄地青花加胭脂红、淡描青花填绿彩等，而且在各个品类的青花瓷当中数量都十分丰富。

从精致程度上看，元明清时期的深腹青花瓷特征不是很明确，精致、普通、粗糙的青花瓷基本都有见。从官、民窑上看，深腹的青花瓷在官、民窑中都有烧造，并无过于规律性的特征（图 5-68），鉴定时应注意分辨。

六、敞 腹

元明清时期敞腹的青花瓷造型不是很常见（图5–69），但也有见。所谓敞腹，就是指腹部向外敞开，腹部比较开阔。

从数量上看，敞腹青花瓷元明清时期也时常有见，在数量上有一定的量，但并不占绝对主流地位。

从功能上看，元明清时期敞腹造型在功能上主要是实用，兼顾装饰的功能。

从精致程度上看，青花瓷在精致程度上表现得比较复杂，精致、普通、粗糙的青花瓷都发现有敞腹的造型（图5–70），但从比例上看亦很难区分。

从官、民窑上看，元明清时期的敞腹的青花瓷官、民窑都有生产，并无过于明显的特征。

图5–69 鼓腹外敞青花瓷罐·清代

图5–70 弧腹外敞青花瓷盘·清代

七、斜 腹

元明清时期斜腹青花瓷有见（图5-71），从总量上讲这类斜腹的青花瓷应该属于绝对的少数。

斜腹的造型给人们印象最深的是宋元时期斗笠盏的造型，线条斜直，直至底足，这样的造型在青花瓷上同样有见，但显然斜度并不像宋代那样的斜，而是大为削弱，有相当的弧度。

从衍生性造型上看，常见的主要有斜弧腹、斜腹微弧、斜腹近直、腹壁斜直等造型（图5-72）。这些造型实际上是对各种可能性所进行的尝试，从数量上看，这几种类斜腹的造型都不是很多，只是有见而已。

从品类上看，元明清时期斜腹的青花瓷在品类上十分丰富，青花矾红彩、外豆青里青花、外酱色釉里青花、哥釉青花、豆青釉青花、青花斗彩玲珑瓷、青花五彩、黄地青花、黄地青花加胭脂红、淡描青花填绿彩等诸多瓷器品种都有涉及，不过从数量上来看都不是很多。

图5-71 斜腹青花瓷盘·清代

　　从精致程度上看，元明清时期斜腹的青花瓷上特征比
较复杂，有见精致者、普通甚至是粗糙的青花瓷都有见。
从官、民窑上看，这一时期斜腹青花瓷在官、民窑上特征
较具普遍性（图5-73），鉴定时应注意分辨。

图5-72 斜腹青花瓷碗标本·清代

图5-73 斜腹青花瓷盘·清代

图 5-74　球形腹青花瓷瓶·当代仿清

图 5-75　球形腹瓷瓶·当代仿清

八、球形腹

元明清时期球形腹青花瓷较为常见。顾名思义，球形腹就是像球体一样的腹部特征（图 5-74），多呈现出半球形腹的状态。球形腹是一种大圆鼓腹，是腹部鼓起的极限造型，这一点我们应能理解。

从数量上看，元明清时期有见，但数量很少。

从造型与功能的关系上看，球形腹造型应该是将青花瓷实用功能发挥到了极致，如果说什么样的青花瓷可以盛放最多东西，自然非球形腹的莫属，但如此难度之大的球形腹制作的目的显然不是为了盛放更多东西，而是一种装饰，以造型为饰。

从品类上看，元明清时期球形腹的青花瓷品类十分丰富（图 5-75），外豆青里青花、外酱色釉里青花、哥釉青花、豆青釉青花、青花斗彩玲珑瓷等品类都有见。不过，有些品类中球形腹青花瓷的数量比较少，有的品类甚至很难见到。

从精致程度上看，这一时期球形腹青花瓷主要以精致青花瓷为主，很少见到普通和粗糙的青花瓷。这说明球形腹的青花瓷有一种向工艺瓷靠近的趋势（图 5-76）。从官、民窑上看，元明清时期球形腹青花瓷官、民窑特征明晰，以官窑器皿为主，民窑瓷器很少见。再者就是伪器很常见，我们在鉴定时应注意分辨。

图 5-76　球形腹天球瓶·当代仿清

九、直 腹

元明清时期直腹的青花瓷有见（图 5-77、图 5-78）。直腹的造型最容易理解，就是笔直的腹部。但这显然是一种视觉上的概念，所包含器物造型众多，如斜直腹、近直腹等，不过从数量比较少这一特点来看，直腹显然不是青花瓷造型上的主流。从精致程度上看，元明清时期直腹的青花瓷在精致程度上较为复杂，精致、普通、粗糙的青花瓷都有见（图 5-79）。从官、民窑上看，这一时期直腹青花瓷的官、民窑特征较具普遍性。

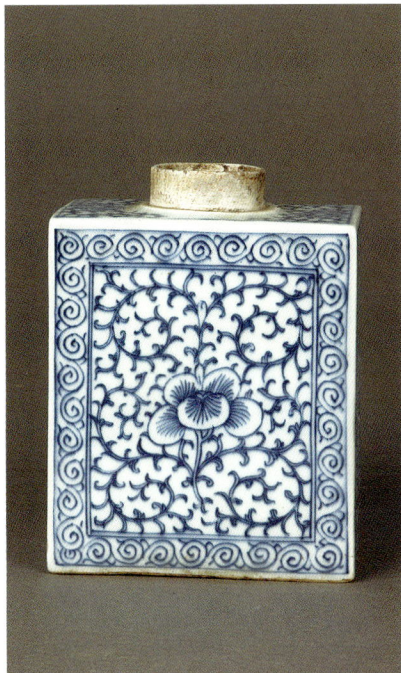

图 5-77 直腹青花瓷瓶·清代

图 5-78 直腹青花瓷瓶·清代

图 5-79 直腹青花瓷香炉·清代

第五节　底　部

青花瓷在底部种类特征上比较简单，主要以平底为主（图 5-80），
兼有圜底。圜底造型被严格限定在一些器皿之上，如青花瓷炉等常见圜
底。但平底的造型略显复杂。

在衍生性造型上比较丰富，如小平底、大平底、平底内凹、平底微
凸等都有见。

从数量上看，青花瓷底部造型在数量上很明确，显然平底多，圜底
少为主（图 5-81）。但对于青花瓷底部数量特征而言，主要是在衍生
性造型上的差异，但对于青花瓷而言基本上都是以底部平衍为显著特征，
平底微凸或者是内凹，以民窑为主，官窑器皿中很少见到。

从形制上看，很明显以简洁为主，几乎不见复杂的造型。

从器形上看，中国古代青花瓷不同的足部造型，选择的器形不同，
多数涉及的是平底的造型，只有很少数器皿涉及到圜底，如香炉等多为
圜底。

图 5-80　平底青花瓷器盖·明代

图 5-81　平底青花瓷盘·清代

　　从品类上看，平底的青花瓷种类非常多，青花矾红彩、外豆青里青花、外酱色釉里青花、哥釉青花、豆青釉青花、青花斗彩玲珑瓷、青花五彩、黄地青花、黄地青花加胭脂红、淡描青花填绿彩等都有见，几乎囊括了所有青花瓷的品类，而且平底的青花瓷在这些品类中数量都极为均衡。

　　从官、民窑上看，特征不是很明显，在官、民窑上具有相当普遍性的特征（图5-82）。

　　从流行阶层上看，平底的青花瓷各个阶层都在使用，宫廷、贵族、平民、市井等不同的阶层都在使用。

　　从功能上看，中国古代青花瓷底部造型在功能上显然是实用与装饰的完美结合。如青花折腰碗的底部通常是平衍的小平底，由此可见，其实用与装饰观赏性特征结合得紧密（图5-83），只是结合紧密的程度不同而已。

　　总之，青花瓷底部特征相对于其他特征简单一些，我们在鉴定时应注意分辨。

图 5-82 平底青花瓷碗标本·清代

图 5-83 小平底青花碗·清代

图 5-84 饼足青花瓷缸·清代

第六节 足 部

中国古代青花瓷足部造型种类比较丰富，常见的主要有圈足、饼足、尖状足、乳足、兽足、蹄形足、卧足等（图 5-84）。由此可见，这些足部种类显然多为传统的延续。

从衍生性上看，很强，如圈足就可以衍生成薄圈足、多边形圈足、方圈足、敛圈足、小圈足、斜直圈足、窄圈足、高圈足（见图5-43）、环状圈足、假圈足、宽圈足、喇叭状圈足等。其他造型的衍生性显然没有圈足强，但多少都可以衍生出一些造型。由此可见，中国古代青花瓷在足部造型上的确是比较庞大。

从数量上看，中国古代青花瓷足部，以圈足及衍生性造型数量最多（图 5-85）。

从形制上看，以简洁明快为主。

从器形上看，不同的足部造型会选择相应的器物造型。

从功能上看很明晰，主要以实用的功能为主，兼具有装饰性的功能特征。鉴定时应注意分辨。

图 5-85 圈足微外撇青花瓷碗·清代

图 5-86 圈足青花瓷盘·清代

图 5-87 圈足折腹青花瓷碗·清代

图 5-88 薄圈足青花瓷碗·清代

一、圈 足

元明清时期圈足青花瓷常见，在数量上基本上达到了一个相当的规模（图 5-86），比饼足及其他种类的青花瓷足部造型加起来还要多得多。由此可见，圈足的青花瓷是元明清时期青花瓷主流的足部造型之一（图 5-87）。

从衍生性上看，圈足的造型有很多，前述已经列举可以达到十数种之多。由此可见，元明清时期圈足的青花瓷在造型种类上的复杂性。显然，这一时期的青花瓷已经形成了一个庞大的圈足体系。

从具体造型上看，小圈足的青花瓷没有什么深刻的含义，就是看起来比普通的圈足即第一种圈足明显小。因此从形制上看实际上圈足没有过于复杂性的特征，完全以视觉为判断标准，而并没有一个所谓标准的尺寸（图 5-88）。

图 5-89　六棱形宽圈足青花瓷瓶·清代

图 5-90　矮圈足青花瓷盒·清代

以下列举几种圈足的造型。

（1）宽圈足：是指相对于一般的圈足宽一些或外撇的一类圈足（图 5-89）。但宽圈足的概念同样是相对的，除了相对于其他青花瓷的圈足外，也相对于自身，如与青花瓷自然器壁的厚度以及青花瓷所使用材料的轻重等有关。

（2）矮圈足：是元明清时期青花瓷常见到的一种圈足类型（图 5-90）。矮圈足的出现说明了在元明清时期人们在饮食习惯上的不同，因为圈足较矮，手接触圈足时必然会有灼热感，这是很自然的现象。而矮圈足的青花瓷出现，则说明人们有可能是不用手触摸圈足，而是将青花瓷直接放置在餐桌上进食。

（3）高圈足：高圈足的青花瓷与矮圈足是对应的（图5-91），高圈足的青花瓷从实用功能上看比较强，无论是放置在餐桌上进食，或者是端拿在手上进食，都不会有灼热的感觉。

由此可见，元明清时期青花瓷在造型上，其实用性还是第一位的，装饰的功能处于相对辅助的地位，特别是对于民窑瓷器而言更是这样。

从精致程度上看，元明清时期拥有圈足的青花瓷较为复杂，精致、普通、粗糙者都有见（图5-92）。

从品类上看，元明清时期圈足青花瓷十分复杂，首先是各种品类的青花瓷几乎都出现了，如外豆青里青花、外酱色釉里青花、哥釉青花、豆青釉青花、青花斗彩玲珑瓷、青花五彩、黄地青花等。当然，圈足青花瓷涉及的瓷器品类可能还有更多，在这里就不一一赘述。不过圈足在这些品类上的数量不是太一致。

从官、民窑上看，这一时期的青花瓷在官、民窑特征上较具普遍性，官、民窑都有烧造，鉴定时应注意分辨。

图 5-91　高圈足青花瓷碗·清代

图 5-92　精致高圈足青花瓷碗·明代

二、玉璧足

元明清时期玉璧足的青花瓷常见（图 5—93）。玉璧足，顾名思义就是像玉璧一样的足部特征。从大量出现的玉璧足青花瓷的造型来看，元明清时期玉璧足的造型已不是很标准。但这种标准主要是相对于汉儒们所述，如《说文》"璧，瑞玉，圜也"；《尔雅·释器》中"肉倍好谓之璧，好倍肉谓之瑗"。"好"是指当中的孔，"肉"是指周围的边，就是说如果边径大于孔径就是玉璧的造型。而如果孔径大于边径，那么则是玉环，这就是玉璧足的标准造型。从元明清时期玉璧足的造型来看，虽然大多不很标准，但基本符合这一造型。就是说，通过视觉可容易观察出来这件器物是玉璧形的足部特征。

从造型与功能的关系上看，玉璧足的造型比较适合于青花瓷的功能（图 5—94），因为玉璧足有一定的宽度，而且就像是一个宽大的圈足。对于青花修胎比较细腻的足部特征而言，其实真正实用的功能性特征不是第一位的，之所以将其制作成玉璧足的造型，考虑更多的可能还是装饰的功能。就是说，除了相当平稳的功能外就是装饰为先导。

图 5—93　玉璧形青花瓷足·清代

图 5—94　青花瓷玉璧足标本·清代

图 5—95 玉璧·西周晚期

从精致程度上看，玉璧足的青花瓷在精致程度上通常都比较好，即使在民窑中也是这样，鉴定时应注意分辨。

不过明清时期之所以出现玉璧足或者是玉环足的造型，显然与玉璧和玉环等玉器有关（图 5—95），特别与玉璧的功能有着密切的联系。玉璧是一种古老的造型，早在新石器时代就已经产生并流行。

关于玉璧的功能，《周礼》"驵圭璧琮琥之渠眉，疏璧琮以敛尸"。郑玄注"以组穿联六玉沟缘之中以敛尸。圭在左，璋在首，琥在右，璜位于足下，璧在死者背部，琮在腹，盖取象文明神之也，疏琮璧者，通天于地"，贾公彦"宗伯，璧礼天，琮礼地，上琮下璧可上天入地，天地阴阳，人之背腹，以玉作六器，以苍璧礼天，故云疏之通天地也"。由此可见，玉璧是一种重要的礼器，是与"天地""神灵"沟通的重要方式，同时玉璧又有财富说等。总之，玉璧是中国历史上民间流传最广的润物，一种象征吉祥美好事物的器皿。而这种吉祥的造型出现在元明清时期青花瓷上，可见青花瓷的良苦用心，满足了人们向往美好事物的心情。所以这一造型一出现就受到了人们的热捧，迅速成为这一时期重要的青花瓷足部造型之一。

从官、民窑上看，玉璧足的青花瓷在官、民窑上没有过于复杂性的特征，官窑和民窑都有生产。

第六章　纹　饰

第一节　元青花

青花瓷彻底改变了瓷器不重纹饰的传统（图6-1），而是十分重视用纹饰来作为装饰，主要以造型、纹饰、青料等共同取胜，这一点在元青花上已经体现得淋漓尽致。"元代青花瓷在纹饰上显得异常繁杂，具有情节性、连续性和故事性等特征，它可以描绘相当宏大的场景，也可以针对具体的一个事件进行表述，如桃园结义、萧何月下追韩信等人们熟知的故事，在青花瓷上都有驻足"（姚江波，2009）。

元青花瓷器纹饰题材十分丰富，如牡丹、菊花、梅花、兰花、松、竹、弦纹、金鱼、水草纹、花草、云气、蕉叶、瓜果、"吕仙图""萧何月下追韩信""诸葛亮三顾茅庐""周敦颐爱莲图""明妃出塞""王羲之爱兰""薛仁贵阵营""蒙恬将军点兵"等人物故事图案等都有见（图6-2）。另外，龙纹出现得也比较多，目前除了五爪龙纹青花瓷还未见以外，四爪龙、三爪龙纹的瓷器都有见。元青花虽然发现不多，但青花瓷上的纹饰题材非常多，由此可见，元青花在纹饰上题材很丰富，有以题材取胜的特征。实际上，这些

图6-1　花卉纹青花瓷标本·元代

图6-2　花卉纹青花瓷标本·元代

青花瓷在当时主要是销售到国外去的，而对于外销瓷而言，纹饰是重要的交流方式，因为语言是不通的。同样元青花也是这样，将人们生活中喜闻乐见的一些人和事，以及戏剧人物等搬上青花瓷，这样可以拉近人们与青花瓷的距离，使人们更加喜爱这些瓷器。

图6-3 精美绝伦花卉纹标本·元代

实际上，元朝政府为了在青花瓷上作画（图6-3），专门在作院的浮梁瓷局和画局，招募了一批职业画家。这批人创作了大量人们耳熟能详的戏剧人物故事图画，以当时流行的元剧为模本，加之对于历史人物的理解，将它们片段性或者组合起来搬到青花瓷之上，使得青花瓷成为完整故事记述的载体，开青花瓷以纹饰取胜的先河。

从构图上看，元青花纹饰在构图上以繁简并举，但是以繁杂为主。我们来看一则浙江青田县元代窖藏的实例："B型：圈足盘。外壁有折枝花卉纹，内壁为素面，内沿有一周青花弦纹，盘心有双弦纹，内残存青花花草。口径17.2厘米、底径9.2厘米、高3.2厘米"（王友忠，2001）。由此可见，这件瓷片在纹饰上也是比较繁杂，仅纹饰就使用了一周弦纹、双弦纹、花草纹、折枝花卉4种，相互组合。但在构图上处理得非常好，并没有表现出混沌的繁密迹象，而是层次分明（图6-4），布局合理，看起来是题材繁而不乱，讲究对称，但又不拘泥于对称，以直接绘画最常见。可见元代青花瓷在纹饰构图上已经具有相当高的水平，这些纹饰多是由专业人士进行绘画。这与同时期的磁州窑等民窑风格的纹饰判然有别，这一点我们在鉴定时应注意分辨。

图6-4 层次分明花卉纹标本·元代

　　总之，元代青花瓷在构图上讲究合理性、层次分明，以及在构图上的近景与远景的衬托等，娴熟地运用勾勒渲染、点、皴、拓等手法，将自己的思想像在宣纸上绘画一样宣泄在青花瓷之上。从线条上看，元代青花瓷在纹饰线条上刚劲挺拔，流畅至极，宛若涓涓溪流奔流直下，线条"画者不染，染者不画"，挥洒自如流畅自若（图6-5）。由此可见，元青花上的纹饰绝不是一般工匠所绘。元青花在纹饰线条上画工极细，讲究对称，主要用笔道的轻重来表现青花的浓淡层次，从而对整个画面的效果产生影响。从粗细上看，粗细兼备，细线少见，干净利落，讲究一笔点化。总之，元代青花瓷不仅仅十分重视青花瓷的纹饰，同时也在青花瓷纹饰上取得了辉煌的成就，开青花瓷许多纹饰绘画方法和题材之先河，为明代永乐、宣德时期青花瓷的全面鼎盛奠定了坚实的基础。

图6-5　精美绝伦花卉纹标本·元代

第二节　明代青花

一、洪武朝

洪武朝青花瓷在纹饰上仍有元代遗风，题材以牡丹、菊花、山茶、莲花、月季、山石等为多见。龙纹有五爪、四爪、三爪之分，五爪龙纹的瓷器开始多起来（图6-6），而且并不像元代限制得那么严格。从构图上看，洪武朝青花纹饰早期有繁缛杂的元代遗风；晚期逐渐向简洁发展，构图合理，层次分明，讲究对称，勾勒渲染。在纹饰线条上流畅自若，刚劲挺拔，挥洒自如实笔勾勒，风格豪放，青花的浓淡层次分明（图6-7）。

图6-6　洪武线条纹青花瓷标本·明代

图6-7　洪武浓淡层次分明青花瓷标本·清代

图 6-8　永乐枇杷纹青花瓷标本·明代

图 6-9　宣德花卉纹青花瓷标本·明代

图 6-10　永乐青花碗·明代

二、永乐、宣德朝

　　永宣官窑青花瓷器在纹饰题材上进一步丰富，常见的有龙凤、园林景色、竹石芭蕉、花鸟、瓜果、婴戏图、海水、胡人、缠枝菊纹、缠枝莲纹、海水云龙、海水仙山、穿花游龙、海怪、三爪龙、四爪龙、五爪龙、牡丹、牵牛、灵芝、缠枝宝相纹、枇杷纹、松竹梅纹、穿花凤纹、人物故事、回纹、梵文、莲瓣纹等（图 6-8）。由此可见，永宣青花瓷上的纹饰题材可以说是集大成，各种各样的纹饰都出现了，几乎是综合了元青花、洪武青花纹饰题材的总和，但同时具有鲜明的特征。较元青花纹饰题材急剧减少，丰富了花鸟虫鱼、竹石园景，以及龙凤纹的图案等内容。而民窑在题材上显然没有官窑丰富，但花鸟、海水、缠枝花卉、海水仙山、龙凤、牡丹、回纹、梵文、梅花等都有见，由此可见，主要以龙凤、花卉为多见（图 6-9）。

　　从构图上看，永宣青花纹饰在构图上繁简并举，更加突出主题纹饰，层次分明，整个画面看起来干净利落，构图合理，画面较为写实，几无缺陷，达到了巅峰状态。永宣民窑青花瓷器在构图上前期疏朗，后期繁复，纹饰的精细程度达不到官窑水平（图 6-10）。在线条上，永宣青花纹饰逐渐向纤细发展，挥洒自若，游刃有余，美不胜收。永宣官窑青花瓷器在纹饰线条上画工极细，达到了自元青花烧造成熟以来在线条上的最高水平；而民窑在线条上显然达不到这种水平。

三、正统、景泰、天顺朝

正统、景泰、天顺朝官窑青花瓷由于上层社会的动乱，在纹饰题材上没有太大的发展（图6—11），主要是对永乐、宣德朝青花瓷纹饰题材的继承，花卉、莲纹、龙纹等都有见；民窑青花瓷并未受到上层社会动乱的影响，仍以龙凤纹为主，花卉、草叶、动物、人物等都有见，晚期有龙凤、麒麟、蝴蝶、狮子滚绣球、携琴访友、池塘鸳鸯戏水等纹饰。构图基本延续永宣青花风格，但工艺水平相距甚远（图6—12）；民窑在构图上比较繁密，但天顺时期变得疏朗。官窑线条流畅、细腻、圆润，浓淡层次分明，民窑显然达不到官窑水平，显得较为粗略。

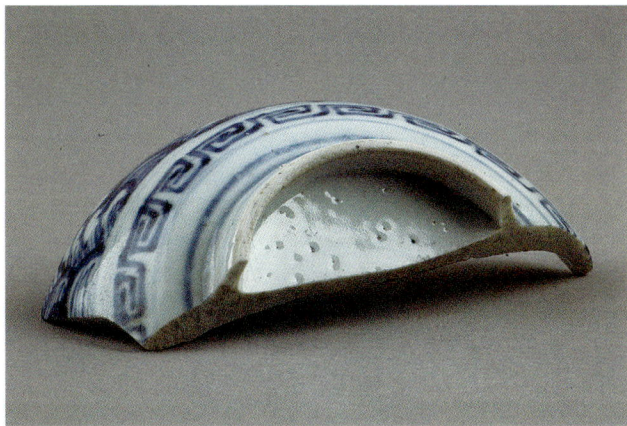

图6—11 正统回纹青花瓷碗·明代

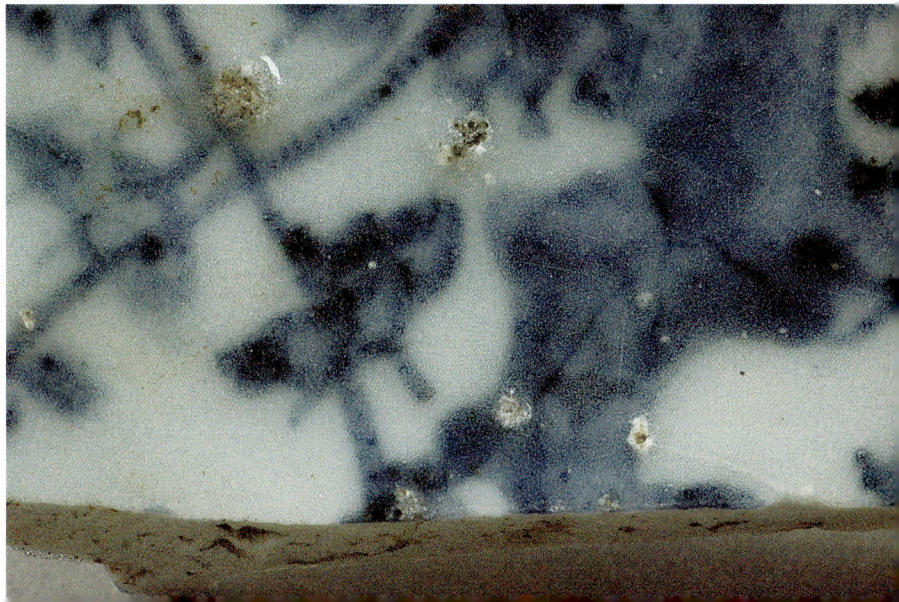

图6—12 天顺枇杷纹青花瓷标本·明代

四、成化朝

　　成化朝青花纹饰题材与永乐、宣德时期相比有所下降，常见的纹饰题材主要有花卉、高士图、婴戏图、龙穿花、菊花、葵花、松竹梅、麒麟、海水异兽、莲池鸳鸯、梵文等，其中以菊花和葵花最为常见。民窑青花纹饰在题材上以花蝶、麒麟、海兽、婴戏、灵芝、松鼠葡萄、飞龙、园景、蒂莲、秋葵等为常见（图6—13），与成化官窑相比毫不逊色。典型特征牡丹花叶常常是外部轮廓留有一周白边。构图前期较为简洁，布局疏朗，后期层次分明，繁而不乱，构图合理；民窑显然达不到这一水平。成化朝官窑青花线条流畅、自若、挺拔、有力、画工精细，干净利落；民窑线条渲染勾勒并用，双线勾勒填色，以纤细线条为主，粗线很少见，与官窑略有距离。

图 6-13　成化花卉纹青花瓷标本·明代

图6-14　弘治花卉纹青花瓷标本·明代

图6-15　弘治层次分明青花瓷标本·明代

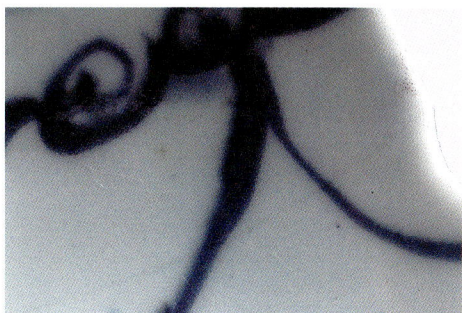

图6-16　弘治纹饰构图合理青花瓷标本·明代

五、弘治朝

弘治朝青花瓷器纹饰题材十分丰富，常见的主要有龙穿花、月影梅花、鱼藻、海兽、梵文等（图6-14）。由此可见，弘治朝青花纹饰在题材上的确是锐减严重；弘治民窑青花瓷器在纹饰题材上常见的主要有花卉、龙纹、松鹤、鱼藻、松鹿、海兽、梵文、高士图等，与官窑青花瓷有相似之处。在构图上，前期与成化时期相似，基本上为成化青花瓷的延续；后期与正德很相似，构图合理，层次分明，讲究对称（图6-15）。民窑青花瓷器纹饰疏朗，立意清新，层次分明，构图合理（图6-16），人物飘逸，勾画细腻；纹饰线条流畅自若，笔道均匀，柔和细腻，青花浓淡层次分明；在纹饰线条上柔和、圆润，也达到了较高水平，鉴定时应注意分辨。

图 6-17　正德花卉纹青花瓷碗标本·明代

图 6-18　构图繁而不乱礁石纹青花瓷标本·明代

六、正德朝

正德朝官窑青花瓷器常见的纹饰题材主要有缠枝花卉、石榴、婴戏、折枝花卉、人物故事、龙穿花、阿拉伯文等（图6-17），可见纹饰题材继续锐减；而此时的民窑青花纹饰题材却是十分丰富，如花卉、凤穿花、穿花龙、庭院、螭龙、婴戏、鱼藻、莲纹、松鹿、梵文、石榴、高士图、阿拉伯文等都有见，与前朝相比本朝官窑青花题材十分相似，多为传统的延续。在构图上，正德朝青花瓷讲究繁复的布局，纹饰看起来都非常的繁密，疏朗者几乎不见，层次分明，繁而不乱（图6-18）；民窑青花瓷器构图特征十分明晰，看上去非常的细碎，但繁而不乱。当然还有一些人们都很熟悉的特点，如正德时期的花叶如鸡爪等。在线条上正德朝青花瓷纤细而流畅，刚劲挺拔，显示了官窑器的工艺水平，由此可见，画师的功力之深厚；从粗细上看，以细线条为主，粗线很少见，干净利落，工艺精湛。正德朝民窑青花瓷器在纹饰线条上与官窑区别较大，精细的程度显然达不到官窑的水平。

七、嘉靖朝

嘉靖朝官窑青花瓷器在纹饰上特征十分鲜明，增加了道教题材，或是与道教题材有关的图案，如八卦、八仙、老子、仙鹤等，这主要与帝王的喜好有很大关系。另外，花卉、婴戏图、高士图、吉语，如"国泰民安""福寿康宁"等都常见。嘉靖朝民窑青花瓷器纹饰题材也受到官窑的影响，如老子讲经、老君炼丹、铁拐李与葫芦等题材增多。另外，还有自身一些鲜明的特征，如婴戏图中的孩童头部明显增大。在构图上官窑层次分明，繁而不乱，构图合理。民窑与官窑在构图上的特征基本相似（图6-19），画面略显混乱。在纹饰线条上特征明晰，官窑线条纤细，圆润，流畅自若，刚劲挺拔，工艺精湛；民窑线条多单线平涂，有力性不够，略显绵软。

图6-19 "大明嘉靖年制"构图层次分明青花瓷盏·明代

八、隆庆朝

隆庆朝官窑青花瓷器在纹饰题材上特征十分明确，常见的纹饰主要有花卉、云龙、八卦、八仙、老子、仙鹤、婴戏图、高士图、侍女图、团龙、团凤、兔纹等（图6-20）；隆庆民窑青花瓷器在纹饰题材上与官窑基本相似，其共同特征是道教色彩的浓郁程度有所减弱，取而代之的是儒学，如马上封侯、封侯爵禄等纹饰题材常见，而这是官窑瓷器上很少见的。官窑构图基本延续嘉靖，人物身体较长，写意画的气氛浓重，人物飘逸，构图合理，讲究对称；而民窑显然达不到这样的水平。官窑线条奔放、流畅、有力，以细线条为主，纤细圆润（图6-21）；民窑青花在线条上流畅自若，刚劲挺拔，画工极细，但在青花的浓淡程度上表现不是太好，画面略显混沌。

图6-20　隆庆构图简洁青花瓷标本·明代

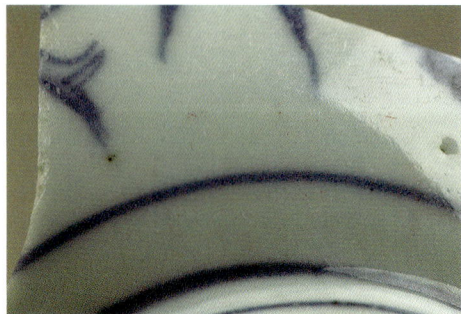

图6-21　线条圆润青花瓷碗标本·明代

图 6-23　万历花卉纹青花瓷标本·明代

九、万历朝

　　万历朝官窑青花瓷器纹饰题材常见的主要有花卉、龙凤、动物、八卦、八仙、老子、张天师驱五毒、仙鹤、龙灯、龙舟、婴戏图等（图6-22），可见道教气氛浓郁。万历民窑青花瓷器在纹饰题材上主要有花卉、瓜果、八仙、老子、福山寿海、鱼藻纹等，可见也受到了道教的影响，反映出当时官、民窑交流的速度非常快。官窑在构图上讲究繁杂，讲究繁而不乱，层次分明（图6-23），宫廷画师游刃有余地将自己的思想宣泄在青花瓷之上；而民窑显然达不到这样的水平，整个纹饰画面看起来是比较凌乱的。官窑线条流畅自若，刚劲挺拔，整幅画面还是干净利落；民窑青花瓷器在线条上以单线平涂为主，青花浓淡程度不是很好。

图 6-22　万历纹饰层次分明青花瓷碗·明代

图 6-24 天启花卉纹青花瓷标本·明代

图 6-25 天启线条流畅青花瓷标本·明代

十、天启朝

天启朝由于已经处在明代末期，官窑青花瓷很少见到，主要以民窑为主。天启民窑青花瓷器纹饰题材常见的主要有瓜果、虎、狮子绣球、牛、鱼、山水、高士图、达摩故事、罗汉、婴戏等（图 6-24）。从这些题材来看显然是增加了动物题材，有着深刻的生活底蕴，道教题材明显减少，佛教题材有所上升。天启朝青花瓷器构图合理，简洁明快，极为生动，线条流畅（图 6-25）。但往往略显草率，单线平涂。

十一、崇祯朝

崇祯朝官窑青花瓷器基本上停烧，纹饰题材主要以民窑为主（图 6-26），如草叶、牛、鱼、龟、芦雁、山水、高士图、西游记、罗汉、三国演义等都有见，题材贴近生活，具有浓郁的民间气息。构图以简洁为主，层次分明，构图合理，讲究对称，写意增多，写实减少。崇祯朝民窑青花瓷器在纹饰线条上特征明晰，单线平涂，混沌感明显，绵软无力，浓淡层次并不分明。

图 6-26 崇祯水草纹青花瓷标本·明代

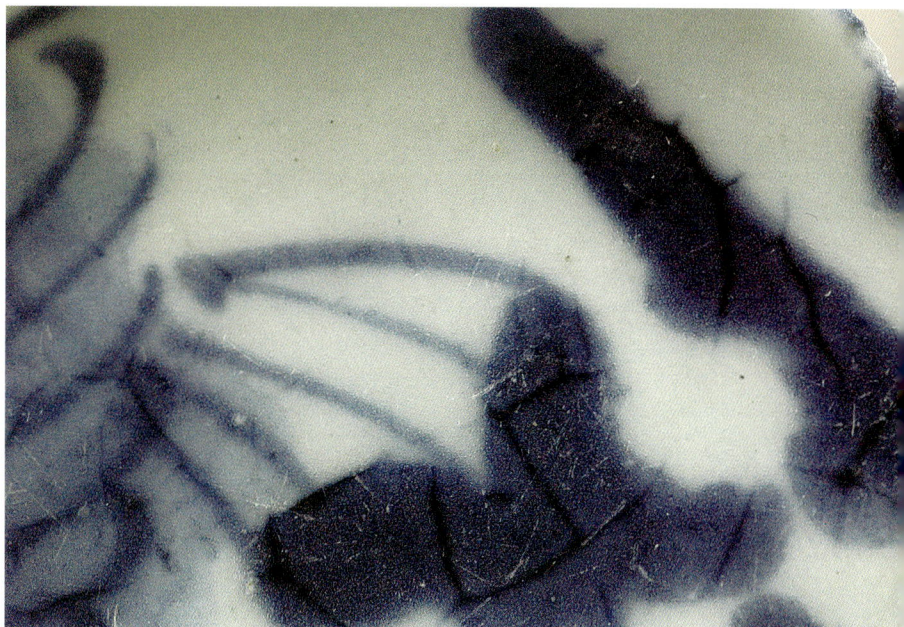

图 6-27　顺治花卉纹青花瓷标本·清代

第三节　清代青花

一、顺治朝

　　顺治青花瓷器纹饰题材十分丰富，云龙、麒麟芭蕉、仕女、兽石、僧人、罗汉、花卉等都常见（图 6-27），可见主要还是明代遗风的延续，在题材上还经常出现题诗的现象，如"梧桐一叶生，天下尽皆春"等诗文常见；民窑比官窑在纹饰题材上要丰富一些，常见的主要有花卉、云龙、僧人、罗汉、仕女、山石、三国人物、列国故事等，多花卉、山石等，总之官、民窑的区别不大。在构图上，顺治朝青花瓷纹饰构图仍有明末遗风，纹饰疏朗，繁缛者开始出现，层次分明，繁而不乱。在线条上流畅自若，粗细兼具，总之在线条上取得了很大成功。

图 6-28　康熙青花五彩花卉纹标本·清代

二、康熙朝

　　康熙朝官窑青花瓷器纹饰题材十分丰富，常见的主要有月影玉兰、缠枝牡丹、龙凤、封神演义、回纹、王羲之爱鹅、陶渊明爱菊、西厢记、海涛纹、西游记、雷纹、三国、水浒、八仙庆寿、侍女、松鹤、鹤鹿同春、四大美人、耕织图、竹林七贤等（图6-28）。由此可见，康熙官窑青花瓷在纹饰题材上种类繁多，取材广泛，反映着当时中国人的喜怒哀乐，具有相当高的艺术成就。康熙民窑青花瓷器在纹饰题材上与官窑互相借鉴，有很多类似之处，但总体来看没有官窑变化多，区别多是精致程度的不同。在构图上，康熙朝官窑青花纹饰繁缛与疏朗并举，康熙朝前期疏朗，中后期繁缛，善于仿前朝，层次分明，繁而不乱，构图合理，攻于精细；民窑青花瓷纹饰在构图上前期仍有明末遗风，较为疏朗，中晚期纹饰变得繁密，与官窑相似，区别多是在细节之上，民窑构图略显粗犷。从线条上看，康熙朝官窑青花瓷在线条上流畅自若，挺拔、有力、工整、讲究浑然天成（图6-29）；而民窑线条有时采用单线平涂，明显有明末遗风，但这只是偶见，多数纹饰线条还是画工极细，工艺精湛，达到了相当高的水平。

图 6-29　康熙花卉纹青花瓷标本·清代

三、雍正朝

雍正朝官窑青花瓷器在纹饰题材上常见的纹饰内容
有花卉、牵牛花、折枝花果、团菊、龙凤、菊花、麒麟
送子、灵芝、宝相花、兰花、缠枝花卉、莲花、松枝、
葫芦、八仙、石榴、福寿三星、福山寿海、琴棋书画、
梵文、瓜果等（图6-30）。由此可见，雍正朝青花纹饰
题材十分丰富，但与康熙朝明显有区别，龙凤和花卉的
图案比较多，琴棋书画则以女性居多。雍正朝民窑青花
瓷器纹饰题材常见的有花卉、花果、龙、凤、菊、莲、
灵芝、水仙、宝相花、竹梅、双喜、人物故事、麒麟送子、
人物故事等，与官窑略显相似性，可见当时官、民窑不
仅在技术上互换，而且在纹饰上也是不断地进行着互换。
在构图上，雍正朝官窑青花纹饰一改康熙时期以繁缛为
主的特征，以疏朗者为多见，构图立意清新，工艺严谨，
层次分明，繁而不乱，构图合理，讲究对称；民窑青花
瓷器在构图上依然是繁简并举，总体上达不到官窑水平。
雍正朝官窑青花瓷纹饰线条流畅自若，刚劲挺拔，画工
极细，用笔极讲究用手的轻重来表现青花的浓淡程度，
圆柔，干净利落，一笔点化，讲究极限，在线条的精致
程度上达到了清代最高水平（图6-31）；民窑青花瓷器
在纹饰线条上虽然也是线条流畅，挥洒自如但是显然达
不到官窑水平，只能说是达到了较高水平。

图6-31 雍正线条流畅青花瓷标本·清代

图6-30 雍正梵文青花瓷标本·清代

图 6—32 乾隆花卉纹青花瓷标本·清代

四、乾隆朝

乾隆朝官窑青花瓷器在纹饰题材上主要有花卉、团龙、云龙纹、山水、团凤、人物、夔凤、松鹿、八骏、瓜果、洋莲、缠枝莲、三星图、松竹梅、百子图、荷莲、荣升、八宝、福寿、梵文、麒麟送子等（图6—32），题材十分丰富，集大成。而民窑在题材上显然没有官窑丰富，特别是没有官窑纹饰复杂，常见的纹饰图案多为花卉、龙凤、山水、人物、松鹿、瓜果、莲纹、松竹、福寿、梵文、百福、麒麟送子、百子图、百鹿等，与官窑瓷器相比个性不是很足，程式化严重。由此可见，乾隆朝民窑青花瓷与官窑区别还是比较大。从构图上看，官窑青花瓷构图理性，尤重对称，结构严谨，层次分明，主要的特点是繁而不乱，一般情况下在器物上都画的很满，勾染并用，精美绝伦；而民窑在构图上则达不到官窑的水平，仿官窑的繁复，繁密纹饰交织在一起，构图还算合理，但层次不是很鲜明，主辅纹的关系很清晰，画风自然、质朴，流露出生动活泼的民窑气息，在造型上有一定的造诣。从线条上看，乾隆朝官窑工整，流畅自若，刚劲挺拔，干净利落，可见画工极细；而民窑青花瓷器在纹饰线条上流畅自若，干净利落，但在刚劲、挺拔上显然存在问题，个别有见草率的现象。

五、嘉庆朝

嘉庆朝官窑青花瓷器在纹饰题材上特征明确，如花卉、龙凤、山水、人物、松鹿、瓜果、莲纹、松竹、福寿、梵文、"喜"字纹、百福、麒麟送子、百子图、百鹿、百福等都有见（图6-33），主要延续康、雍、乾三朝，特别是延续乾隆时期，一些纹饰固定化的特征相当明显，如"喜"字纹的图案基本没有太大的变化，无论在盏上、还是在杯子，以及青花瓷罐、瓶等器皿之上都是这样。在构图、布局、线条等诸多方面都是一致的（图6-34），创新很少见。另外如麒麟送子、百子图、百福等程式化的图案也十分常见，在构图上以繁缛为主，类似乾隆时期过分地繁复，但又不像乾隆时期那样将青花瓷纹饰层次布局得很分明，不能尽如人意。在线条上的，基本上是流畅的，但有时过于燎原，官窑当中民窑的气氛过于浓重；民窑中又多仿官窑，线条的有力性明显不足，草率的特征十分明显。显然，很明显地衰落了。

图6-33 嘉庆"喜"字花卉青花瓷碗·清代

图6-34 "大清嘉庆年制"花卉纹青花瓷标本·清代

图 6-35 道光花卉纹青花瓷碗·清代

六、道光朝

　　道光朝官窑青花瓷器纹饰题材丰富，主要延续嘉庆朝。常见的纹饰题材主要有花卉、龙凤、山水、人物、松鹿、瓜果、莲纹、松竹、福寿、梵文、百福、麒麟送子、百子图、百鹿等（图 6-35）。纹饰构图结构合理，但程式化的特征过于浓重，线条流畅，在刚劲有力上明显不足，多延续康熙、雍正、乾隆朝，过于拘谨，创新的内容过少。可见，纹饰在工艺水平上下降得很厉害，进入了全面衰退的时期，官、民窑的区分不明显。

七、咸丰朝

咸丰朝官窑青花瓷器纹饰题材以花卉、龙凤、山水、人物、松鹿、瓜果、莲纹、松竹、福寿、梵文、"喜"字纹、百福、麒麟送子等为常见（图6-36）。构图繁缛兼备，但层次不是很分明，线条力度往往不够，纹饰线条过于燎原，官、民窑的区别不明显。"喜"字纹常见，纹饰固定化、程式化的特征比较明显，创新几乎没有（图6-37），多为延续嘉庆、道光时期。

八、同治朝

同治朝官窑青花瓷器在纹饰上与民窑几乎无太大区别（图6-38），构图、线条上与自从嘉庆青花瓷急速衰退以来的各朝并没有相异之处，纹饰多为延续传统，龙凤、山水、人物、松鹿、瓜果、莲纹、松竹、福寿、梵文、百福等都有见。特点是常见纹饰"喜"字纹，不仅仅是双"喜"，有四"喜"、八"喜"等图案，五谷丰登、麒麟送子等题材最为常见。构图兼备不是很好，要么繁缛，要么过于简略，层次感也不强，线条绵软无力者常见，刚劲挺拔者少见。

图6-36 咸丰花卉纹青花瓷碗标本·清代

图6-37 咸丰草叶纹青花瓷标本·清代

图6-38 同治青花瓷标本·清代

图 6-39　光绪花卉纹青花瓷盒·清代

九、光绪朝

光绪朝官窑青花瓷器出现了一次复兴的浪潮（图6-39），或许这是光绪皇帝唯一做成功的事情。从纹饰上看，花卉、龙凤、山水、人物、松鹿、瓜果、莲纹、松竹、福寿、梵文、百福、麒麟送子等都常见，在纹饰题材、构图、线条上都有了一些起色。出现了一些所谓的精品，但显然精工细作的程度不够，以及技术力量不足（图6-40）。有很多康熙、雍正、乾隆时期常见的纹饰制作得都不是很好，与"三代"青花瓷相比还是有天壤之别（图6-41）。或许这成为了中国古代青花瓷在纹饰上的回光返照。

图 6-40　光绪花卉纹青花图案·清代

图 6-41　光绪龙纹青花瓷香炉·清代

图 6-42 宣统花卉青花瓷盒·清代

图 6-43 宣统花卉纹青花瓷盒·清代

十、宣统朝

宣统朝时间很短，只有三年时间（图6-42），青花瓷在纹饰题材、构图、线条上也是全面衰退。官窑青花瓷衰落到了极点，花卉、龙凤、山水、人物、鹿、瓜果、莲纹、松竹、福寿、梵文、百福、麒麟送子、百子图、百鹿等纹饰都还有见，但是制作较为粗糙（图6-43）。化学彩施加得比较多。无论官、民窑看起来在纹饰上的确是衰落了。

第七章　识市场

第一节　逛市场

一、国有文物商店

　　国有文物商店收藏的青花瓷具有其他艺术品销售实体所不具备的优势（图7-1）：一是实力雄厚；二是古代青花瓷数量较多；三是瓷器鉴定专业人员多；四是在进货渠道上层层把关；五是国有企业集体定价，价格比较适中（图7-2）。国有文物商店是我们购买青花瓷的好去处。基本上每一个省都有国有的文物商店，是文物局的直属事业单位之一。

图7-1　嘉庆青花高足盘·清代

图7-2　嘉庆青花高足盘·清代

图 7-3 外酱釉青花标本（正面）·清代

图 7-4 国产料青花瓷标本·清代

表 7-1 国有文物商店青花瓷品质优劣

名称	时代	品种	数量	品质	体积	检测	市场
青花瓷	唐代	巩县窑	少见	粗	大小兼备	通常无	国有文物商店
	元代	景德镇窑	少见	普／粗	大小兼备	通常无	
	明、清	景德镇窑	多见	精／普／粗	大小兼备	通常无	
	民国	景德镇窑	多见	普／粗	大小兼备	通常无	

从表 7-1 可见，从时代上看，国有文物商店古代青花瓷有见（图 7-3）。青花瓷是先用钴料在胎上绘画，然后上透明釉，再在 1300℃ 左右的高温下一次烧成（图 7-4），呈现出蓝色图案。

青花瓷早在唐代就已经出现，宋代也有见青花瓷的生产，至元代青花瓷经过长时间的酝酿之后终于由江西景德镇窑烧制成功。明政府在景德镇继续设立官窑，与元代青花瓷相比有秀、巧、轻、薄之感。至清代，青花瓷在明代制瓷业的基础上继续发展，景德镇继续成为中国的瓷业中心，代表着中国古瓷器的最高烧制水平，引领着中国古代青花瓷的发展潮流。至康、雍、乾时期，清代的制瓷业发展已至顶峰，乾隆以后各朝几乎不见精品，之后再也没有辉煌过。中国古代青花瓷在品质上十分丰富，如青花矾红彩、外豆青里青花、外酱色釉里青花、哥釉青花、豆青釉青花、青花斗彩玲珑瓷、黄地青花、黄地青花加胭脂红、淡描青花填绿彩等都有见，有官窑和民窑之分。

从品质上看，精致、普通、粗糙者都有见，但青花瓷的精致程度主要取决于官窑和民窑，因为官窑青花瓷基本上是不计工本地烧造，而民窑则是要考虑到成本。再者与原料有关，如明代永宣时期青花瓷达到了顶峰，但这指的是官窑青花瓷，基本上使用的都是发色浓艳的郑和七次下西洋从海外带回来的苏尼麻青料，而民窑则没有这种料，多是一些发色灰暗的钴料。从体积上看，国有文物商店内销售的青花瓷大小不一（图7-5），这与其日常生活用具的功能有关。从检测上看，中国古代青花瓷通常没有什么检测证书，对于瓷器的行规就是凭借自己的眼力，因此把玩鉴定要点是关键（图7-6）。不过文物商店内的青花瓷伪器很少，因为这事关国有文物商店的信誉和鉴定能力问题（图7-7）。

图7-6 青花诗文山水瓶·清代

图7-5 青花勺子标本·清代

图7-7 浓淡层次不是很分明青花瓷标本·清代

二、大中型古玩市场

大中型古玩市场是青花瓷销售的主战场，如北京的琉璃厂、潘家园等，以及郑州古玩城、兰州古玩城、武汉古玩城等都属于比较大的古玩市场（图7-8），集中了很多青花瓷销售商，像报国寺只能算是中型的古玩市场。具体见表7-2。

表 7-2　大中型古玩市场青花瓷品质优劣

名称	时代	品种	数量	品质	体积	检测	市场
青花瓷	唐代	巩县窑	少见	粗	大小兼备	通常无	大中型古玩市场
	元代	景德镇窑	少见	普／粗	大小兼备	通常无	
	明、清	景德镇窑	多见	精／普／粗	大小兼备	通常无	
	民国	景德镇窑	多见	普／粗	大小兼备	通常无	

图 7-8　青花瓷瓶·清代

图 7-10 青花瓷墨盒·清代

图 7-9 进口料元青花瓷器标本·元代

　　可见，从时代上看，大中型古玩市场的青花瓷，唐宋青花瓷都
很少见，以明、清时期的为多见，元、明、清都有见（图 7-9）。

　　从窑口上看，大中型古玩市场的青花瓷在窑口上并不复杂，巩
县窑青花瓷很少。元代景德镇成熟的元青花也是很少见到。即使
有见，多是以瓷片为主（图 7-10）。但瓷片多数是伪器，只有部
分是真品。原因很简单，因为各个市场上元青花瓷片数量加起来数
十万片（图 7-11），这可能吗？绝不可能。明清时期青花瓷是大型
古玩市场上瓷器销售的主流，主要以民窑瓷器为主（图 7-12）。

从品质上看，不同时期的青花瓷在品质上不同，早期青花瓷在品质上不是很好。元代成熟意义上的青花瓷烧制成功之后，青花瓷的品质通常都是比较好，精致、普通、粗瓷都有见（图 7—13），但主要以精致、普通为主。从官窑与民窑上看，主要以官窑瓷器最为精致。从体积上看，大中型市场内各个时代的青花瓷特征比较明确（图 7—14），大小兼备。从检测上看，各个时代的青花瓷基本上没有经过专家检测，需要自己判断真伪。

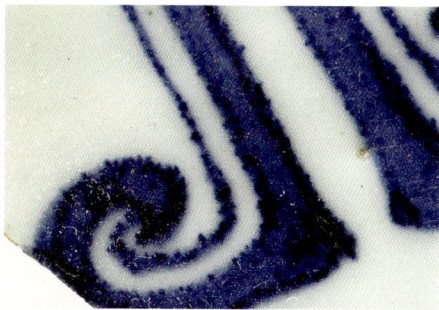

图 7—11 进口料元青花瓷器标本·元代

图 7—12 青花碗·民国

图 7—13 青花瓷香炉·清代

图 7—14 青花红彩觚（传世品）·清代

图 7-15 青花瓷碗·清代

三、自发形成的古玩市场

这类市场三五户成群，大一点几十户，这类市场不是很稳定，有时不停地换地方，但却是我们购买青花瓷的好地方（图7-15），具体见表7-3。

表7-3　自发古玩市场青花瓷品质优劣

名称	时代	品种	数量	品质	体积	检测	市场
青花瓷	唐代	巩县窑	少见	粗	大小兼备	通常无	自发古玩市场
	元代	景德镇窑	少见	普／粗	大小兼备	通常无	
	明、清	景德镇窑	多见	精／普／粗	大小兼备	通常无	
	民国	景德镇窑	多见	普／粗	大小兼备	通常无	

图 7-16 青花瓷瓶·清代

可见，从时代上看，自发形成的古玩市场上的青花瓷各个时代都有见（图7-16），但真伪难辨，想要淘宝需具有很高的水平（图7-17）。

从窑口上看，自发形成的古玩市场上的青花瓷在窑口特征上也是比较明确，以景德镇窑为显著特征（图7-18），元代末期景德镇窑青花瓷烧制成功，明清时期景德镇窑达到鼎盛，因此青花瓷在窑口上特征比较集中。

从数量上看，中国古代青花瓷在自发形成的古玩市场上数量很庞大（图7-19），是销售的主流产品之一。官窑与民窑的产品都有见，当然官窑瓷器很少见，主要以民窑瓷器为主。从品质上看，自发形成的古玩市场上出现的青花瓷在品质上精致、普通、粗糙者都有见（图 7-20），但精美绝伦者不多见，主要以普通和粗瓷为多见。从体积上看，各个时代的青花瓷由于是人们日常生活用具，所以大小兼备（图 7-21）。从检测上看，这类自发形成的小市场上的瓷器多数没有经过专家鉴定，基本上靠自己的鉴赏能力。

图 7-17　青花瓷碗标本·明代

图 7-18　青花瓷碟·清代

图 7-19　夹砂胎青花瓷标本·清代

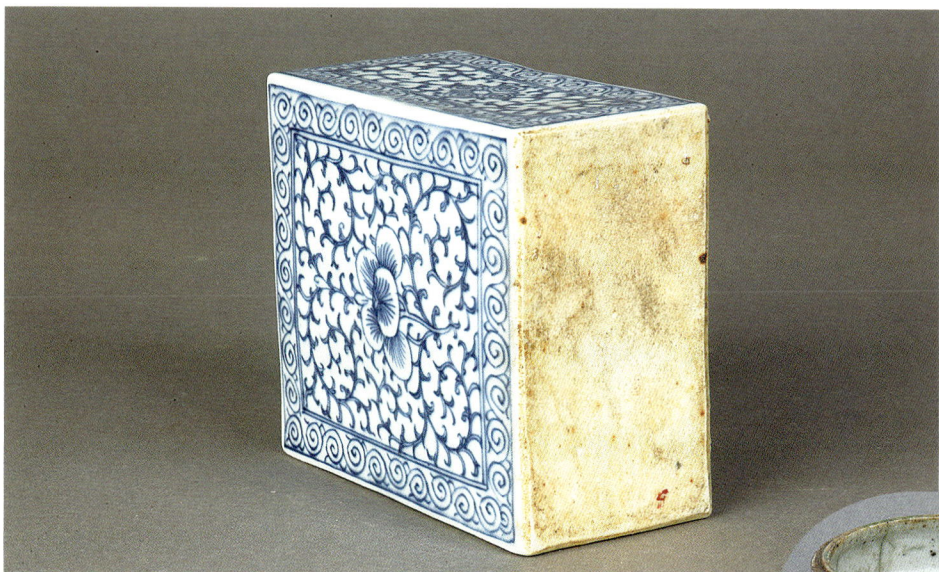

图 7-20　青花瓷花卉纹瓶·清代

图 7-21　青花瓷盒·清代

图 7-22 弧腹青花瓷碗·清代

四、网上淘宝

网上购物近些年来成为时尚，同样网上也可以购买古代青花瓷（图 7-22），上网搜索会出现许多销售青花瓷的网站，具体见表 7-4。

表 7-4 网络市场青花瓷品质优劣

名称	时代	品种	数量	品质	体积	检测	市场
青花瓷	唐代	巩县窑	少见	粗	大小兼备	通常无	网上淘宝
	元代	景德镇窑	少见	普／粗	大小兼备	通常无	
	明、清	景德镇窑	多见	精／普／粗	大小兼备	通常无	
	民国	景德镇窑	多见	普／粗	大小兼备	通常无	

可见，从时代上看，网上淘宝可以通过搜索找到各个时代的青花瓷（图 7-23），从唐代直至明清，点击就可以购买，非常便捷。但也有缺陷，就是看不到实物，仅从照片上看不太靠谱（图 7-24）。不能说网上没有真品，但是应该是非常之少，因为可以设想一下，网络销售的大量古代珍贵瓷器的货源从哪里来呢？这的确是一个大的疑问。

从窑口上看，网络上的青花瓷在窑口上也是以景德镇窑为主（图 7-25），青花瓷的特点就是景德镇窑瓷器的主要特点，应注意对比鉴定，甄别真伪（图 7-26）。

从数量上看，不同时代的青花瓷数量特征相差很大，一般情况下唐宋元时期的青花瓷都非常少见，主要是以明清时期为多见（图 7-27），数量几乎占到了瓷器中的第一位。

图 7-23 青花瓷标本·清代

从品质上看，青花瓷的品质早期比较差，如唐宋时期，包括元代前期都是这样，以明清时期为品质最好（图7-28），尤其是以明清时期的官窑为最。官窑中明代以永宣青花为最好；清代以康熙、雍正、乾隆三代官窑为最好。

从体积上看，青花瓷器在大小上特征不是很明确，大小兼备（图7-29）。从检测上看，网上淘宝而来的青花瓷器真伪难辨，完全依靠自己的鉴赏水平。

图 7-24 豆青釉青花瓷碗·清代

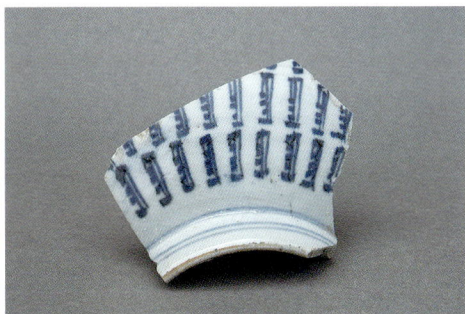

图 7-26 青花瓷标本·清代

图 7-27 青花碗·民国

图 7-25 青花瓷鼻烟壶·民国

图 7-28 龙纹青花瓷·清代

图 7-29 青花瓷盘·清代

图 7-30　青花瓷标本·清代

五、拍卖行

青花瓷拍卖是拍卖行传统的业务之一（图 7-30），是我们淘宝的好地方，具体见表 7-5。

表 7-5　拍卖行青花瓷品质优劣

名称	时代	品种	数量	品质	体积	检测	市场
青花瓷	唐代	巩县窑	少见	粗	大小兼备	通常无	拍卖行
	元代	景德镇窑	少见	普／粗	大小兼备	通常无	
	明、清	景德镇窑	多见	精／普／粗	大小兼备	通常无	
	民国	景德镇窑	多见	普／粗	大小兼备	通常无	

图 7-31　青花瓷碗·清代

可见，从时代上看，拍卖行拍卖的青花瓷各个历史时期的都有见（图 7-31），其中青花瓷以精品为主。

从窑口上看，拍卖市场上的青花瓷主要以景德镇官窑为主，民窑精品只是少量有见卖。

从数量上看，青花瓷器的拍卖以元明清为常见，特别是以明清时期为多见（图 7-32），多为各个时代的精品，但真伪并不保证，完全需要我们自己来判定。

图 7-32　青花五彩花卉纹标本·清代

从品质上看，拍卖行的青花瓷主要以精品为主，再者以稀少程度为主，如元青花虽然在精致程度上并不很好（图7-33），晕散、壁厚等特点都比较突出，但是元青花数量特别少，迎合了市场"物以稀为贵"的价格定律，所以元青花是拍卖场上的宠儿，所拍出的基本都是天价。

图7-33 苏麻离青料青花瓷标本·元代

从体积上看，青花瓷器在拍卖行出现大小较为多样化，可谓是大小兼备（图7-34）。从检测上看，拍卖场上的青花瓷器主要以买家的鉴赏能力为判断标准（图7-35），拍卖行只是一个平台。

图7-34 青花碗·民国

图7-35 青花木盒·清代

图 7-36 "大明年造"款青花瓷标本·明代

六、典当行

典当行也是购买青花瓷的好去处，典当行的特点是对来货把关比较严格，一般都是死当的青花瓷作品才会被用来销售（图7-36）。具体见表7-6。

表 7-6 典当行青花瓷品质优劣

名称	时代	品种	数量	品质	体积	检测	市场
青花瓷	唐代	巩县窑	少见	粗	大小兼备	通常无	典当行
	元代	景德镇窑	少见	普/粗	大小兼备	通常无	
	明、清	景德镇窑	多见	精/普/粗	大小兼备	通常无	
	民国	景德镇窑	多见	普/粗	大小兼备	通常无	

图 7-37 青花瓷标本·明代

可见，从时代上看，典当行的青花瓷唐宋时期很少见，元青花也少见，主要以明清时期的青花瓷为多见（图7-37），有的时候民国时期的青花瓷也有见。从窑口上看，典当行的青花瓷在窑口特征上很明确，主要以景德镇窑为主，官窑和民窑都有见（图7-38），但主要以官窑为主。

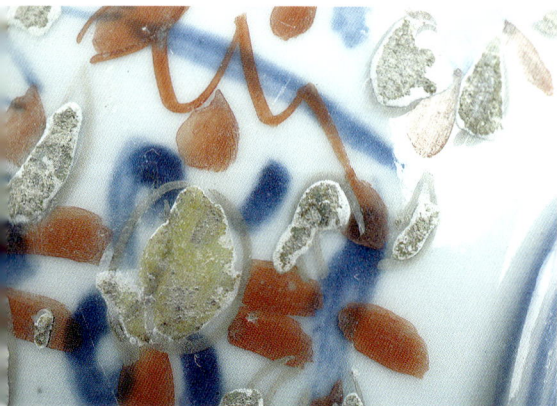

图 7-38 青花五彩瓷器·清代

图 7-39 青花 "喜" 字纹碗

图 7-40 洪武青花瓷杯·明代

　　从品质上看，典当行内的青花瓷精致者有见，普通和粗糙者也有见，但价格也是高低错落有致。从体积上看，青花瓷在体积上特征并不明确，大小兼具（图 7-39）。从检测上看，典当行内的青花瓷制品一般没有检测证书，品级高低和真伪完全取决于购买者的鉴赏水平（图 7-40）。

图 7-41　青花瓷标本·元代

第二节　评价格

一、市场参考价

　　青花瓷在唐代巩县窑就有生产，宋代也有，但并不成熟，直至元代景德镇窑才将真正意义上的青花瓷烧造成功（图 7-41）。明代，青花瓷真正开始普及，盛极一时（图 7-42）。时至今日，青花瓷在价格上升值很快，一件元青花在 20 世纪 80 年代只需要几十万元，但今天的价钱可能破亿。明清官窑青花瓷以永宣为最，起拍价很多在千万元以上，清代康雍乾时期的青花瓷也是价格不菲，可见人们对其的确是趋之若鹜，这是其不断升值的重要原因（图 7-43）。

图 7-42　成华青花瓷标本·明代

但大多数民窑青花瓷在价格上总体还不是特别高（图7-44），青花瓷的参考价格也比较复杂。下面让我们来看一下青花瓷主要的价格。但是，这个价格只是一个参考，因为本书价格是已经抽象过的价格，是研究用的价格（图7-45），实际上已经隐去了该行业的商业机密，如有雷同，纯属巧合，仅仅是给读者一个参考而已。

图7-43 高温与低温釉结合青花斗彩瓷盘·当代仿清

元 青花罐：680万～880万元。

元 青花八棱瓶：880万～980万元。

元 青花人物故事纹瓶：3800万～4800万元。

元 青花人物故事纹罐：260万～380万元。

元 青花盘：180万～200万元。

元 青花八方罐：680万～860万元。

明 永乐青花盘：560万～680万元。

明 永乐青花碗：88万～93万元。

明 永乐青花盘：330万～460万元。

明 永乐青花盘：57万～68万元。

明 宣德青花扁瓶：4600万～6600万元。

明 嘉靖青花盖盒：8万～9万元。

清 康熙青花笔筒：36万～48万元。

清 康熙青花狮子斗笠碗：3万～6万元。

清 康熙青花笔筒：6万～8万元。

清 雍正青花瓶：6800万～8600万元。

清 雍正青花碗：8.6万～9.8万元。

清 乾隆青花盘：66万～86万元。

明 青花福禄寿碗：6万～9万元。

清 光绪青花加彩梅瓶：7万～9.8万元。

图7-44 "成华年造"青花瓷盘·明代

图7-45 青花釉里红山水纹鼻烟壶·当代仿清

图7-46 呈色稳定青花瓷标本·明代

图7-47 青花瓷碗标本·清代

二、砍价技巧

砍价是一种技巧（图7-46），除去价格的水分，提取精华。但砍价并不是根本性商业活动，只是与对方讨价还价，找到对自己最有力的因素。通常青花瓷的砍价主要有这几个方面：

一是品相，青花瓷虽然有很多传世品，但由于历经岁月磨砺（图7-47），有很多在品相上还是有瑕疵，虽然有些很微弱，但作为价值连城的艺术品依然是需要仔细检查的，如找到青花瓷胎体内部用放大镜才能看到裂缝，因为裂缝很有可能在热胀冷缩之下越来越严重，所以价格自然会比原先要低很多（图7-48），完全可以成为轮锤砸价的重要依据。

图7-48 花卉纹青花瓷标本·清代

图 7-49 青花瓷标本·清代

　　二是纹饰，青花瓷的纹饰集合了元明清时期最著名的画家。青花瓷的装饰异常的繁缛，主要以图案纹饰为主，它的装饰风格完全抛弃了传统（图 7-49），是一种大胆的尝试和革新。简单的说就是将青花瓷的胎体变成了一张绘图的宣纸（图 7-50），画家在上面可以自由地挥毫泼墨。"而青花瓷属釉下彩绘，这样瓷画就被真空封闭在透明釉之下，永远不用担心会被腐烂变质、且不畏风雨、不怕潮湿、不阻碍观赏。正是青花瓷所具有的这些优点，使许多画家愿意将自己的力作留驻于青花瓷之上"（姚江波，2002）。而一些青花瓷往往在纹饰上出现败笔（图 7-51），这也是其官、民窑瓷器价格相差千万倍的原因，同时也会在价格谈判上占尽先机。

图 7-50 崇祯青花瓷标本·明代

图 7-51 青花木盒·清代

图 7-52　不明显的哥釉开片青花瓷标本·清代

从精致程度上看，青花瓷的精致程度民窑性质的窑场可以分为精致、普通、粗瓷等（图 7-52），那么其价格自然也就是参差不同。所以，将自己要购买的青花瓷归类，精致是一个价格，粗瓷则又会是另外一个价格，这是砍价的基础（图 7-53）。

图 7-53　青花瓷瓶·清代

图 7-54 绚丽多彩青花五彩鱼藻纹盆·当代仿明

图 7-55 青花虾纹·民国

图 7-56 青花釉里红人物纹鼻烟壶·当代仿清

　　总之，青花瓷的砍价技巧涉及时代、造型、窑口、纹饰、胎质、匀净程度等诸多方面（图7-54），从中找出缺陷（图7-55），必将成为砍价利器（图7-56）。

图 7-58　蕉叶纹青花碗·清代

图 7-59　洪武"福"字文青花瓷标本·明代

图 7-57　"大清嘉庆年制"款青花瓷器标本·清代

第三节　懂保养

一、清　洗

　　清洗是收藏到青花瓷之后很多人要进行的一项工作（图 7-57）。当然有的藏家是出于个人的卫生习惯，目的就是要把瓷器表面及其断裂面的灰土和污垢清除干净，使青花瓷变得清新雅致（图 7-58）。但在清洗的过程当中首先要保护青花瓷不受到伤害。可以用直接入水法来进行清洗（图 7-59），但不要将青花瓷直接放到自来水中清洗。自来水中的多种有害物质会使瓷器釉面受到伤害。通常，应将其放入到纯净水中进行清洗，待到土蚀完全溶解后，再用棉球将其擦拭干净（图 7-60）。

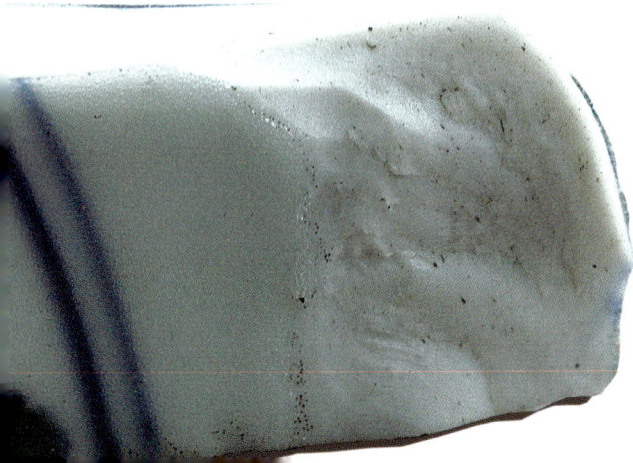

图 7-60　精细胎青花斗彩瓷器·清代

遇到未清除干净土蚀的瓷器，可以用牛角刀进行试探性的剔除，如果还未洗净，请送交文物专业修复机构进行处理（图7-61）。千万不强行机械剔除，以免伤及釉面，这一点我们在收藏时一定要注意（图7-62）。

图7-61 青花斗彩龙纹标本·当代仿清

图7-62 青花釉里红人物纹鼻烟壶·当代仿清

图 7-63 青花 "大清乾隆年制" 瓷器标本·清代

二、修 复

　　青花瓷历经沧桑风雨，如果有残缺就需要修复（图 7-63）。修复主要包括拼接和配补两部分，拼接就是用粘合剂把破碎的青花瓷片重新粘合起来。拼接工作十分复杂，有时想把它们重新粘合起来十分困难（图 7-64）。一般情况下主要是根据共同点进行组合，如根据碎片的形状、纹饰的连接等特点，逐块进行拼对，最好再进行调整。配补是研究修复的最后一个步骤（图 7-65），如有底有口沿的青花瓷碗都可以经过配补将其复原，就是把损坏不存在的部位，恢复到原来的形状。配补的方法很多，主要有填补、模补，一般情况下残缺面积很小的部位，直接拿一块麻布进行填补后，进行休整就可以了，而像残损比较严重的情况就必须进行模补（图 7-66）。

图 7-64 弧腹青花碗·清代

图 7-65 青花瓷碗·明代

图 7-66　青花瓷花卉纹标本·清代

图 7-67　青花瓷标本·清代

　　另外，经过配补而形成的青花瓷，表面非常粗
燥，可以说是坑凹不平。因此就需要对修补材料，
特别是用石膏进行修补的表面进行修整。经过休整
后的石膏面基本平整，之后再用木砂纸等进行打磨，
这样整个修复过程才可以说是完成了（图 7-67）。

图 7-68　青花瓷碗残片·清代

图 7-70　青花瓷碗标本·清代

三、养　护

1.加　固

　　有相当一部分青花瓷是用石膏修复，而石膏的机械强度极低，很容易破碎，所以需要对石膏进行加固，使石膏的强度增大（图7-68），质地坚硬。具体操作方法是把环氧树脂混合液同乙醇按 1:1 的比例混合后，用毛笔均匀地涂敷在石膏面上。利用乙醇把强度极大的永久性粘合剂环氧树脂混合液带进石膏内，这时的石膏面就会变得异常坚硬，不易破碎。但这种加固并不是一劳永逸的（图7-69），而是需要过一段时间后就要进行一次，不然有可能就会裂开。

图 7-69　豆青釉青花瓷碗·清代

图 7-71　外酱釉内青花标本（背面）·清代

2. 相对温度

青花瓷的相对温度也很重要（图 7-70），保养还体现在对于温度的要求上。当然这主要是体现在修复过的器皿之上，对于完好无损的器皿在温度上倒没有很高的要求。对于修复过的器皿，温度一定不要超过 55℃（图 7-71），因为如果超过这个温度，许多胶水，如热熔胶就会脱落。

3. 相对湿度

青花瓷在相对湿度上一般应保持在 50% 左右（图 7-72），如果相对湿度过大，一些受过伤的胎体就会受到水的侵袭，水会沿着哪怕是再微小的裂缝进入到瓷器体内，如果温度下降至零度以下（图 7-73），就会产生巨大张力，从而导致青花瓷破碎。

图 7-72　青花喜字纹碗

图 7-73　"月亮弯"底青花瓷碗·明代

图 7-74　简洁明快青花五彩瓷碗·清代

图 7-75　青花斗彩花卉纹瓷器标本·清代

4.存　放

青花瓷的存放位置应放置在震动小的地方，如工厂、铁道旁等就不适宜长期放置青花瓷（图 7-74），因为虽然震动不至于立刻使其开裂，但日积月累以防万一。最好就是像文物库房那样，将器物放置在架子上，而不是放置在柜子中。因为柜子开拉门的时候会产生一定的晃动，对于圈底的器物的处理要稳妥，一般情况下要做一个专门的柜子进行放置。总之对于放置，我们应该谨慎。主要以"不晃动""不磕碰"等为基本原则（图 7-75）。

5. 日常维护

第一步是进行测量，对青花瓷的长度、高度、厚度等有效数据进行测量（图7-76）。目的就是对青花瓷进行研究，以及防止被盗或是被调换。

第二步是进行拍照，如正视图、俯视图和侧视图等，给青花瓷保留一个完整的影像资料（图7-77）。

第三步是建卡，青花瓷收藏当中很多机构，如博物馆等，通常给青花瓷建立卡片，如名称（包括原来的名字和现在的名字，以及规范的名称）；其次是年代，就是这件青花瓷的制造年代、考古学年代；还有质地、功能、工艺技法、形态特征等详细文字描述，这样我们就完成了对古青花瓷收藏最基本的特征的记录（图7-78）。

图7-76　青花瓷盘·清代

图7-77　康熙青花瓷标本·清代

图7-78　精致花卉纹青花斗彩瓷盘·清代

第四步是建账。机构收藏的青花瓷，如博物馆通常在测量、拍照、卡片、包括绘图等完成以后，还需要入国家财产总登记账和分类账两种，一式一份，不能复制。主要内容是将文物编号，有总登记号、名称、年代、质地、数量、尺寸、级别、完残程度，以及入藏日期等（图7-79）。总登记账要求有电子和纸质两种，是文物的基本账册。藏品分类账也是由总登记号、分类号、名称、年代、质地等组成，以备查阅。

第五步是防止磕碰。青花瓷的保养中、防止磕碰是一项很重要的工作，瓷器容易摔裂，运输需要独立包装，避免碰撞（图7-80）。

第六步是在平时的维护中，不要经常去用抹布擦其表面，这样会很容易伤到釉面，通常用鸡毛掸子轻弹一下就可以了。

图 7-79 嘉庆青花高足盘·清代

图 7-80 雍正青花瓷标本·清代

第四节　市场趋势

一、价值判断

　　价值判断就是评价值，我们作了很多的工作，就是要做到能够评判价值。在评判价值的过程中，也许一件瓷器有很多的价值（图7-81），但一般来讲我们要能够判断青花瓷的三大价值。既古瓷器的研究价值、艺术价值、经济价值。当然，这三大价值是建立在诸多鉴定要点的基础之上的，研究价值主要是指在科研的上的价值（图7-82）。如对于青花瓷的纹饰的研究，不仅仅可以剥离诸多其所承载的历史信息，而且可以甄别历史上诸多作伪的器皿，对于文物鉴定有着决定性意义（图7-83），同时可以达到复原历史场景的作用。也可以达到许多学科追根溯源的作用。同时可以准确地找到一些失传的技术，帮助我们实现青花瓷技术上的复兴。这对于诸多学科如历史学、考古、文物学、人类学、博物馆学、材料学等都有着重要的研究价值（图7-84）。

图7-81　"大明年造"款青花瓷标本·明代

图 7-82　"成化年造"外豆青内青花瓷盘·清代

图 7-83　青花斗彩胎体横截面·清代

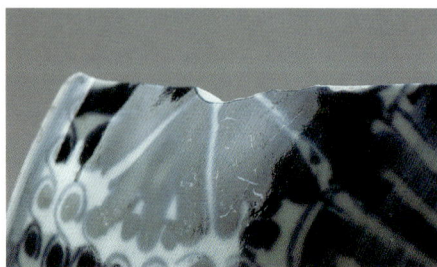
图 7-84　道光青花瓷标本·清代

　　而艺术价值就更为复杂，如青花瓷的造型艺术、纹饰、釉色、釉质、书法艺术等，都是同时代艺术水平和思想观念的体现，青花瓷纯净典雅，精美绝伦（图 7-85），釉层均匀，细腻滋润，光泽润泽，淡雅，闪烁着非金属的油性光泽，使人犹入幻境。其美的程度使人难以想象，在观看之后能够给人以震撼的力量。青花瓷在釉质上艺术成就，令人叹为观止（图 7-86）。元青花，永乐青花，宣德青花，康熙、雍正、乾隆青花瓷等精品力作犹如灿烂星河，星光璀璨。而我们收藏的目的之一就是要挖掘这些艺术价值（图 7-87）。另外，青花瓷在极高的研究和艺术价值基础上自然拥有了经济价值，且呈现出的是正比的关系。研究价值和艺术价值越高，经济价值就会越高。反之，经济价值则逐渐降低（图 7-88）。

图 7-86　青花瓷碗标本·明代

图 7-87　康熙青花瓷标本·清代

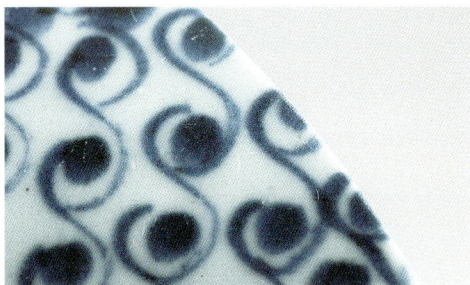

图 7-88　康熙青花瓷标本·清代

图 7-85　花卉纹青花瓷标本·清代

二、保值与升值

青花瓷保值和升值的功能很高。青花瓷在明清时期具有巨大的影响力（图 7—89），几乎将传统的青瓷、白瓷等排挤出了主流瓷器市场，虽然在中国历史上存在的时间并不是很长，但精品力作犹如灿烂星河，鼎盛至极。青花瓷在战争和动荡的年代，如在民国时期并不是兴盛，人们对于青花瓷的追求夙愿降低（图 7—90），而盛世人们对青花瓷的情结则会高涨。今日盛世青花瓷受到人们追捧，特别是元青花、永宣青花，康熙、雍正、乾隆青花等，拍卖几乎都是天价成交。

图 7—89 雍正青花瓷标本·清代

图 7—90 青花瓷器标本·清代

图 7-91　嘉庆青花高足盘·清代

从品质上看，青花瓷对品质的追求是永恒的，青花瓷并非都是精品力作，但人们对于青花瓷的追求源自于对美好生活的回忆（图 7-91）。青花瓷官、民窑兼具，切近生活，具有浓郁的生活气息，正好契合人们的各种美好夙愿，因此中国古代青花瓷具有很强的保值和升值功能。

从数量上看，对于古代青花瓷而言，已是不可再生（图 7-92），特别是一些官窑在当时生产的数量就很少，基本上都是供宫廷使用。这样，就具备了"物以稀为贵"的商品属性，具有保值、升值的强大功能（图 7-93）。

图 7-92　康熙青花瓷标本·清代

　　总之，青花瓷的消费特别大，人们对青花瓷趋之若鹜（图7-94）。青花瓷不断爆出天价，不断被全世界的藏家所收藏，且又不可再生，所以"物以稀为贵"的局面也越发严峻。官窑精品青花瓷的保值、升值功能则会进一步增强（图7-95）。

图 7-93　嘉庆喜字花卉纹青花瓷盖·清代

图 7-94　嘉庆青花高足盘·清代

图 7-95 青花斗彩花卉纹斗彩碗·当代仿清

参考文献

[1] 姚江波 . 古瓷标本 [M]. 沈阳：辽宁画报出版社 ,2002.

[2] 张浦生 . 青花瓷器鉴定 [M]. 北京：书目文献出版社 ,1998.

[3] 王友忠 . 浙江青田县前路街元代窖藏 [J]. 考古 ,2001(5):93-96.

[4] 姚江波 . 瓷器鉴赏收藏手册（第一版）[M]. 北京：中国轻工业出版社 ,2009.

[5] 姚江波 . 五招鉴定青花瓷 [M]. 上海：上海科学技术文献出版社 ,2010.

[6] 阮国林，葛玲玲 . 江苏南京市明黔国公沐昌祚、沐睿墓 [J]. 考古 ,1999(10):45-56.